Bianca

Sharon Kendrick
Juego perverso

Editado por HARLEQUIN IBÉRICA, S.A.
Núñez de Balboa, 56
28001 Madrid

© 2012 Sharon Kendrick. Todos los derechos reservados.
JUEGO PERVERSO, N.º 2168 - 18.7.12
Título original: Playing the Greek's Game
Publicada originalmente por Mills & Boon®, Ltd., Londres.

I.S.B.N.: 978-84-687-0348-0
Depósito legal: M-17822-2012
Editor responsable: Luis Pugni
Fotomecánica: M.T. Color & Diseño, S.L. Las Rozas (Madrid)
Impresión en Black print CPI (Barcelona)
Fecha impresion para Argentina: 14.1.13
Distribuidor exclusivo para España: LOGISTA
Distribuidor para México: CODIPLYRSA
Distribuidores para Argentina: interior, BERTRAN, S.A.C. Vélez
Sársfield, 1950. Cap. Fed./ Buenos Aires y Gran Buenos Aires,
VACCARO SÁNCHEZ y Cía, S.A.
Distribuidor para Chile: DISTRIBUIDORA ALFA, S.A.

Capítulo 1

A EMMA casi se le salía el corazón del pecho al entrar en el despacho minimalista del ático, pero el hombre sentado tras la mesa ni siquiera se molestó en levantar la cabeza.

La luz entraba a raudales por las enormes ventanas que daban a uno de los parques más bonitos de Londres. El hotel Granchester era mundialmente famoso y escandalosamente caro, entre otras cosas, por su esplendida localización, pero la magnífica vista palidecía en comparación al hombre sentado ante la ventana, con la mirada fija en un montón de papeles.

Zak Constantinides.

El sol de noviembre realzaba sus negros cabellos y su formidable musculatura. Una corriente de tensión y virilidad irradiaba de sus anchos hombros, acelerando los latidos de Emma.

Estaba más nerviosa de lo que recordaba haber estado en mucho tiempo, lo cual no era de extrañar. Su jefe se había presentado en Londres inesperadamente y a ella la habían avisado para que se presentara en su despacho de inmediato. Normalmente las personas tan poderosas como aquel magnate griego no se mezclaban con gente como ella.

La llamada la había pillado subida a una escalera

de mano. Bajo sus vaqueros descoloridos y su camiseta holgada estaba pegajosa por el sudor, y los mechones se le caían de la cola de caballo. No era la mejor manera de presentarse ante el multimillonario, pero no había mucho que pudiera hacer al respecto. Tenía el peine en su bolso, que estaba metido en una taquilla en algún lugar de las entrañas del edificio.

Su jefe debía de haber advertido su presencia, pero siguió concentrado en su trabajo como si no hubiese nadie más en el despacho. Seguramente fuera una táctica por su parte, para dejarle claro quién llevaba allí la voz cantante. El hermano de Zak ya le había advertido a Emma que era un fanático del control y que disfrutaba con todo el poder que acaparaba en sus manos.

Carraspeó torpemente e intentó no sentirse como un político novato a punto de iniciar su primer discurso.

–¿Señor Constantinides?

Al oír su voz levantó la cabeza para revelar sus rasgos marcados en su brillante piel aceitunada. Todo sería típicamente griego, salvo por los ojos. No eran marrones o negros, como sería previsible, sino de un gris tan inquietante como un cielo borrascoso. Se clavaron en ella y Emma sintió algo extraño en las tripas. Una especie de mal presagio que sin duda se debía a los nervios. ¿Qué otra cosa podía ser? A ella ya no le interesaban los hombres, y mucho menos los multimillonarios con mujeres suficientes para llenar cientos de harenes por todo el globo.

–*Ne? Ti thelis?*

Emma intentó sonreír. ¿Le habría hablado en su lengua nativa para distanciarse aún más de ella, cuando era evidente que hablaba inglés a la perfección?

–Soy Emma Geary. Me han dicho que quería verme.

Zak se recostó en la silla y la recorrió lentamente con la mirada.

–Sí, así es –le dijo en tono suave mientras le indicaba la silla delante de él–. Por favor, tome asiento, señorita Geary.

–Gracias –respondió ella, terriblemente avergonzada por las horquillas sujetas a la camiseta y por el mechón que se pegaba a la sudorosa mejilla. Pero ¿qué aspecto podía tener si se había pasado toda la mañana subida a una escalera, colgando cortinas? Como diseñadora de interiores del hotel Granchester, se encontraba trabajando en una de las habitaciones del séptimo piso cuando recibió la llamada de la secretaria de Zak.

–Suba inmediatamente al despacho del jefe –le había dicho, y Emma apenas tuvo tiempo para recuperar el aliento antes de meterse en el ascensor, sin posibilidad de maquillarse ni de ponerse algo más apropiado.

–Siento no haber tenido tiempo para cambiarme...

–No se preocupe. Esto no es un desfile de moda.

Volvió a fijarse en los vaqueros ceñidos a sus esbeltas piernas y en la camiseta que, a pesar de ser bastante holgada, no disimulaba la provocativa curva de sus pechos. Solo las manos parecían bien cuidadas, como a Zak le gustaba en las mujeres. Uñas largas y pulcramente pintadas de rosa coralino, evocando los espectaculares atardeceres de su Grecia natal y el suave murmullo de las olas. ¿Se habría percatado ella de que se las estaba mirando y por eso se había llevado repentinamente la mano al pecho, atrayendo la atención a la sensual protuberancia de sus senos? Una mezcla de deseo e irritación invadió inesperadamente a Zak, pero consiguió mantenerse impasible.

–Su ropa no va a influir para nada en lo que estoy a punto de decirle.

–Vaya... –intentó sonreír otra vez–. Eso no suena muy tranquilizador.

–¿No?

Emma dejó de sonreír y se sentó frente a él, incapaz de contener el hormigueo que le recorría la piel ante su fría mirada de acero. No entendía su reacción. Ella ya no sucumbía a la atracción instantánea ni nada de eso. Era como una de esas mujeres que después de renunciar al chocolate durante mucho tiempo se ponían enfermas solo de pensar en él. Lo mismo le pasaba a ella con los hombres. O al menos así había sido hasta ese momento.

Porque, en aquellos instantes, su acostumbrada indiferencia parecía haberla abandonado y la había dejado con una extraña sensación de vulnerabilidad frente al hombre de rostro severo y penetrante mirada. Tal vez se debiera a que nunca había estado a solas con él. O tal vez porque le resultaba muy íntimo encontrarlo en su mesa, rodeado de papeles, en mangas de camisa.

Precisamente allí, en aquel lugar.

Porque Zak Constantinides vivía en Nueva York y rara vez pisaba Londres y el hotel Granchester. Muchos miembros del personal ni siquiera lo habían visto en persona y solo lo conocían por su reputación. Aparte de una única y breve conversación, Emma solo lo había visto de pasada. El magnate griego tenía fama de no mezclarse con el personal del hotel. Eso se lo dejaba a Xenon, su ayudante, y en menor medida a su hermano menor, Nat. La última vez que Emma se cruzó con él fue en la inauguración del salón Moonlight, una restauración a cargo de Emma de la que se sentía particularmente orgullosa. Recordaba que se lo habían presentado y que los modales de Zak habían sido bastante fríos, sonriendo con desgana y agradeciendo tibiamente los esfuerzos creativos de Emma. Pero a ella le dio igual. No se lo tomó como algo personal, pues conocía su meteórico ascenso en el mundo empresarial, su corazón de hielo y las legiones de mujeres que se desvivían por tenerlo.

Zak Constantinides era una leyenda viva, tanto dentro como fuera de la sala de juntas. Era la clase de hombre a la que cualquier mujer con dos dedos de frente se cuidaría mucho de evitar. Y sobre todo alguien como ella, quien atraía a los hombres problemáticos como la luz a las polillas.

Mucho tiempo atrás había comprobado que era una inútil en lo que se refería al sexo opuesto, un rasgo que debía haber heredado de su madre. Al igual que ella, tenía que lamentar las consecuencias de las decisiones erróneas que había tomado en la vida. La única solución que le quedaba era proteger su corazón y su cuerpo de cualquier hombre que pudiera interesarse en uno o en otro.

Intentó respirar hondo para calmarse y observó al hombre sentado frente a ella. En la inauguración del Moonlight llevaba un esmoquin negro a medida como correspondía al poderoso magnate que era. Pero en aquel momento ofrecía un aspecto muy diferente. Llevaba una camisa de popelina desabrochada por el cuello y arremangada hasta los codos, dejando a la vista unos antebrazos fuertes y velludos. Sus manos eran grandes y fuertes y sus hombros, anchos y poderosos. No se parecía en nada a un magnate. Más bien parecía un hombre acostumbrado a trabajar la tierra o a cualquier otra actividad que no fuera ocuparse del papeleo que llenaba su mesa. Era sin duda la imagen más viril que Emma había visto en su vida.

Zak dejó el bolígrafo y se echó hacia atrás en la silla, lo que atrajo involuntariamente la mirada de Emma al estirarse la camisa sobre los músculos del pecho.

–¿Tiene idea de por qué la he hecho llamar? –le preguntó en tono apático y distraído.

Emma se encogió tímidamente de hombros, intentando convencerse de que no había motivo alguno para estar nerviosa.

–La verdad es que no, por mucho que me he devanado los sesos... Espero que no esté descontento con mi trabajo, señor Constantinides.

A Zak no se le pasó por alto el ligero rubor que coloreó sus mejillas, ni las pestañas rubias que enmarcaban sus ojos verdes. No llevaba ni una gota de maquillaje encima...

Sería mucho más sencillo estar descontento con ella. Así podría despedirla y decirle que dejara en paz a su hermano. Zak se la había encontrado con el resto del personal al hacerse cargo del hotel, dos años atrás, y no había visto ningún motivo para prescindir de ella. Había comprado el Granchester porque era lo que siempre había querido hacer, no porque quisiera modificar un negocio que ya iba sobre ruedas. Había aprendido que la fortuna podía desaparecer tan rápidamente como aparecía, y él, aunque era bastante generoso, rara vez malgastaba el dinero. Emma Geary era muy buena en su trabajo como decoradora, y Zak nunca sacrificaba el talento a menos que fuese absolutamente necesario.

Por desgracia, en las circunstancias actuales parecía la única solución.

Porque aquella mujer de pelo rubio y uñas de coral le había echado el lazo a su hermano menor.

Lo curioso era que no resultaba ser lo que Zak había esperado. La había visto con anterioridad, pero apenas recordaba nada. No había día de la semana en que no conociera a un montón de mujeres, y aquella no era su tipo. Había renunciado definitivamente a las mujeres rubias con curvas y largas piernas. Las fotos que le había enviado el detective eran bastante antiguas y mostraban a una mujer exuberante y glamurosa que no se parecía en nada a la mujer que estaba sentada ante él, vestida con ropa de trabajo.

Tampoco se podía decir que fuese el tipo de su hermano. Su aspecto era demasiado frágil, demasiado... inglés, con una piel tan delicada y perfecta que se la podría marcar simplemente respirando sobre ella.

Tal vez fue aquello lo que hizo saltar las alarmas, junto a los informes de la creciente relación que Nat mantenía con aquella mujer. Zak había estado muy preocupado por el uso que su hermano fuera a darle a la impresionante herencia que iba a recibir de un día a otro. Y sus temores se habían confirmado al descubrir la clase de persona que era su novia, Emma Geary.

Apretó los puños sobre la mesa y volvió a abrirlos

lentamente, extendiendo los dedos sobre la reluciente superficie.

–No, no estoy descontento con su trabajo. De hecho, opino que es excelente.

–¡Gracias a Dios! –exclamó ella. Tenía que hacerle ver lo entusiasmada que estaba con el hotel y lo mucho que apreciaba ser su empleada–. Las valoraciones de la prensa sobre el nuevo bar fueron muy positivas... ¿Ha visto los recortes que le mandé a su oficina de Nueva York? Ah, y tengo muchas ideas para la reforma del Garden Room. ¡Grandes ideas! He pensado que podríamos relacionarlo con el festival de las flores de Chelsea. Nos daría un gran prestigio y... –su ansioso discurso murió en sus labios cuando él levantó una mano para acallarla.

–No la he hecho venir para hablar de las reformas, señorita Geary. Es por un asunto más personal. Verá... he estado hablando con mis abogados sobre su contrato.

–¿Con sus abogados? –repitió Emma, tan desconcertada que no le importó parecer un loro–. ¿De mi contrato?

Él frunció el ceño, mostrando su disgusto por la interrupción.

–Y ellos me han dicho algo bastante interesante... Es muy poco frecuente que una diseñadora de interiores trabaje exclusivamente para un hotel, en vez de ser autónoma.

Emma seguía preocupada por lo que le había dicho de los abogados, pero imaginó que le debía alguna explicación.

–Ya sé que no es frecuente –admitió–. Pero fue su predecesor quien me hizo un contrato fijo.

Zak volvió a fruncir el ceño.

–¿Se refiere a Ciro D'Angelo?

–Sí –Emma recordaba muy bien al italiano atractivo y treintañero que tan amable había sido con ella en sus horas más bajas. Cuando Emma llegó a Londres su vida estaba por los suelos, pero Ciro D'Angelo le dio la oportunidad que necesitaba para empezar de nuevo y ella la aprovechó lo mejor que pudo–. A Ciro le gustó tanto mi trabajo que me hizo un contrato indefinido con alojamiento incluido en el hotel. Dijo que eso me daría seguridad. Era muy... muy amable.

–También es muy atractivo y muy rico... –añadió Zak, quien nunca había oído que calificaran de «amable» al implacable ejecutivo napolitano que salía con algunas de las mujeres más hermosas del mundo–, y un mujeriego de cuidado.

«¡Igual que tú!», estuvo tentada de gritarle, pero se contuvo y parpadeó con perplejidad.

–Lo siento, pero no entiendo qué tiene que ver Ciro con todo esto.

–¿No? –Zak se fijó en el temblor de sus labios y se preguntó si aquel atisbo de fragilidad femenina sería sincero. ¿Pretendería Emma ablandarle el corazón, igual que había conseguido con otros hombres? Con él no tendría nada que hacer, por lo que más valía ser claro con ella desde el principio–. En ese caso quizá deba explicárselo. He estado investigándola, señorita Geary –hizo una breve pausa–. Y parece tener la reputación de una mujer fatal.

Emma lo miró con ojos muy abiertos, sintiendo cómo se le propagaba un hormigueo por la piel. Los recuerdos de un pasado largamente enterrado empezaban a aflorar de nuevo.

–No... no sé de qué me está hablando.

–¿De verdad no lo sabe? –al advertir la mentira en su voz y ver cómo se ponía pálida se reafirmó su determinación–. ¿Únicamente convenciste a uno de los hombres de negocios más inflexibles del mundo para que te ofreciera un trabajo fijo en su hotel? Mucha gente podría preguntarse qué ocurrió realmente... y no les costaría mucho llegar a la conclusión más lógica.

–¡Pues todos estarían equivocados! –gritó ella.

–Se dice que cuando el río suena, agua lleva...

–Se dicen muchas cosas por ahí, señor Constantinides, pero eso no significa que sean ciertas.

–En cualquier caso, Ciro D'Angelo ya no está. Me vendió el hotel y volvió a Nápoles –se inclinó ligeramente hacia delante para ver cómo reaccionaba a la siguiente acusación–. Y desde entonces usted ha mantenido una relación cada vez más cercana con mi hermano menor...

A Emma se le tensaron todos los músculos del cuerpo al acortarse la distancia entre ellos.

–¿Se refiere a Nathanael?

–Solo tengo un hermano, señorita Geary.

El corazón de Emma le latía desbocadamente, pero no iba a derrumbarse ante su jefe. ¿Qué le había dicho Nat? Que su hermano mayor estaba acostumbrado a obtener siempre lo que quería y cuando lo quería. Sin importarle a quien tuviera que aplastar para conseguirlo.

–¿Y qué problema hay? ¿Es un crimen tener una relación íntima con alguien?

–No, no es un crimen –corroboró él–. Pero cuando una mujer a la que le gusta especialmente intimar con hombres ricos se fija en Nat... no se puede decir que eso me llene de alegría.

Emma lo miró sin pestañear.

–No voy a responder a sus ofensas, señor Constantinides, pero me cuesta creer que sus abogados le hayan aconsejado esa fórmula de interrogatorio.

A Zak se le pusieron los vellos de punta ante aquella actitud resuelta y desafiante. ¿Acaso Nathanael había sido tan tonto de jactarse del dinero que iba a heredar? Para una mujer con el historial de Emma Geary no sería difícil ver un objetivo fácil y lanzarse por ello.

Se le formó un nudo en el pecho al pensar en su hermano, a quien él había protegido toda su vida. Por desgracia, era imposible proteger a alguien de todos los peligros del mundo a menos que fuera encerrándolo en un sótano.

–Está perdiendo el tiempo, señorita Geary.

–¿Cómo dice?

–Ya me ha oído –bajó la voz y escupió las palabras como si fueran piedrecillas secas–. Puede abrir esos ojos verdes o sacudir su rubia melena cuanto quiera... Nathanael no está disponible para ninguna clase de relación seria.

Si la expresión de su jefe no fuera tan seria, Emma se habría echado a reír por lo equivocado que estaba. Había intimado con Nat y lo había considerado como uno de sus mejores amigos, sí. Desde que su hermano mayor se hiciera cargo del Granchester, los dos habían congeniado muy bien y siempre habían estado dispuestos a apoyarse mutuamente. Y era cierto que él intentó en una ocasión tener algo más con ella... pero Emma sospechaba que lo hizo más por costumbre que por verdadero deseo. Como si pensara que era aquello lo que cualquier mujer, incluida Emma, esperaría de él. Bastó que Emma le dijera que no estaba interesada, igual que también se lo dijo anteriormente a Ciro D'Angelo, para que se forjara una amistad desprovista de la menor tensión sexual.

En Nat había encontrado el consuelo y el solaz que tanto necesitaba, y aquel hermano tiránico y arrogante no tenía el menor derecho a decirle que se alejara de él.

—¿Sabe Nat lo que usted me está diciendo? —le preguntó con toda la calma posible—. ¿Sabe que está tomando decisiones por él? Por mucho que trabaje para la empresa de su familia creo que debería ser él y no usted quien decidiera con quién quiere relacionarse.

—Mi hermano no está disponible para ninguna clase de relación —repitió Zak, como si ella no hubiera abierto la boca—. Y mucho menos con una mujer como usted.

Emma se quedó de piedra. Todo su valor la abandonó de inmediato y el miedo que había conseguido reprimir empezó a invadirla al ver el peligroso brillo en los acerados ojos de su jefe. Algo le dijo que había sido descubierta. Nunca se podía escapar por completo del pasado...

—¿Una mujer como yo? —repitió en voz muy débil.

Zak experimentó una agridulce sensación de triunfo al ver su expresión de remordimiento.

—Me pregunto por qué no firma con su apellido de casada... ¿Hay algún motivo por el que haya borrado su pasado de su currículum? —le preguntó mientras miraba una de las hojas que tenía ante él–. ¿No es Emma Patterson su nombre... por haberse casado con la estrella del rock Louis Patterson?

A Emma se le congeló la sangre en las venas. El pasado volvía a acosarla, como siempre había temido. Qué ingenua había sido al pensar que podía esconderse en el presente de los oscuros tentáculos de una vida anterior.

–¿Lo es? –insistió él.

Emma tragó saliva.

–Sí... Así es.

Zak levantó la vista y le clavó una mirada tan fría y penetrante como una hoja de acero.

–Su exmarido murió de una sobredosis... Dígame, señora Patterson, ¿es una yonqui usted también?

Capítulo 2

LAS PALABRAS de Zak Constantinides impactaron en Emma como una lluvia de balas. Eran palabras que creía haber dejado atrás desde hacía mucho. «Sobredosis», «yonqui» y todos los horribles recuerdos que arrastraban.

Intentó reprimir las náuseas y miró fijamente a su jefe mientras el magnate griego repetía la acusación.

–¿Toma drogas, señorita Geary?

–No... ¡No! Nunca las he tomado... ¡Nunca! ¡No tiene derecho a acusarme de algo así!

–Se equivoca. Tengo todo el derecho del mundo a proteger a mi hermano de las mujeres con un pasado dudoso...

Emma tuvo que hacer un enorme esfuerzo para controlar la respiración, pero no pudo hacer nada con los frenéticos latidos de su corazón.

–Me casé con un hombre drogadicto y alcohólico, señor Constantinides –dijo en voz baja–, pero no sabía nada de eso cuando lo conocí. Era joven y cometí un error. ¿Usted nunca ha cometido un error?

Zak negó con la cabeza. Él jamás había cometido errores en sus relaciones. El desliz que tuvo en el trabajo ni siquiera podía considerarse un error, y en cualquier caso aquello era algo muy diferente. Se había

ganado una merecida fama por ser un hombre de só-
lidos valores tradicionales y se sentía orgulloso por
ello. Ninguna mujer que hubiera llevado una vida
como la de Emma Geary sería nunca bien recibida en
su familia.

Sacó unas fotos de un sobre que tenía en la mesa y
Emma se puso pálida al verlas. Eran fotos muy viejas,
pero las reconoció al instante.

–¿Reconoce estas fotos? –le preguntó él.

Emma se obligó a mirar la imagen superior del
montón que Zak había esparcido sobre la mesa, como
un crupier disponiéndose a barajar las cartas. Era una
foto de ella y de Louis el día de su boda.

La prensa se había puesto las botas con aquella historia... Una chica de diecinueve años a la que nadie
conocía casándose con una estrella del rock que le do-
blaba la edad. Contrajo el rostro al verse a sí misma
en la foto. Se había puesto una guirnalda de flores en
el pelo y un vestido vaporoso de seda chifón. Sus largos cabellos rubios casi le llegaban a la cintura, con-
firiéndole el aspecto de un hada del bosque que se hubiera perdido en la ciudad. O al menos eso fue lo que
le dijo Louis. Incluso le compuso una canción en su
luna de miel, entre sorbo y sorbo de la botella de bour-
bon que siempre llevaba consigo.

–Pues claro que las reconozco –respondió mientras
se obligaba a mirar las otras fotos, como si quisiera
demostrarle a su jefe que no la asustaban.

Pero sí que la asustaban. Le tenía pavor al sufrimiento del pasado. Observó las imágenes tristemente
familiares de Louis y de ella saliendo de restaurantes...
con ella sujetando a su marido e intentando desespe-

radamente ocultar su estado de ebriedad ante las cámaras de los periodistas. Algunas de las fotos estaban tomadas en el interior de clubes nocturnos que ya no existían. La chica rubia con el vestido corto y ceñido que bailaba provocativamente en la plataforma le parecía una completa desconocida. Por aquel tiempo había intentado complacer a Louis por todos los medios. Ser lo que él quería que fuera. Era lo que querían los hombres, según le había asegurado su madre. No fue hasta mucho después, cuando su matrimonio acabó miserablemente, que Emma se dio cuenta finalmente de que su madre era el peor ejemplo que podría haber seguido.

—Se ha tomado muchas molestias para conseguir estas fotos —le dijo a su jefe, intentando que la voz no delatara sus nervios—. Son de hace casi diez años.

—Diez años no son nada... y siempre es fácil obtener información si buscas en los sitios adecuados —un repentino deseo lo asaltó al ver la imagen de su trasero meneándose al ritmo de la música. Rápidamente apartó la foto de su vista y tragó saliva—. Pero tendrá que admitir que no es usted la candidata ideal para ser mi cuñada.

Emma vio como endurecía los rasgos y se negó a permitir que la intimidara de aquella manera.

—¿Siempre da por hecho que su hermano va a casarse cuando sale con una mujer? ¿No cree que se está precipitando en sus conclusiones?

—Me baso en la experiencia —respondió él—. Conozco muy bien a las mujeres y sé cómo las mueve el dinero. El apellido Constantinides basta para provocar una atracción inmediata en el sexo femenino.

—¿Incluido usted?

–Incluido yo.

Emma advirtió el sarcasmo en su voz y estuvo a punto de aclararle que su hermano y ella solo eran buenos amigos. Pero algo la detuvo. El deseo de responderle con la misma moneda. De atacarlo igual que él la había atacado al hurgar en su doloroso pasado. A Zak Constantinides le molestaba que ella tuviera una relación con su hermano... y ella iba a hacérselo creer hasta que pudiera hablar con Nat.

–No puedo decirle lo que opino de sus acusaciones, ya que da la casualidad de que es usted mi jefe y parece decidido a despedirme si hablo claro.

–Al contrario. Las leyes inglesas están hechas para proteger al trabajador más que a su jefe, y eso me niega la satisfacción de poder despedirla a menos que cometa una falta realmente grave.

Emma pensó por un instante si arrojarle el portabolígrafos de cerámica a la cara podría considerarse una falta muy grave, pero por si acaso mantuvo las manos quietas en su regazo.

–En ese caso, me temo que tendrá que seguir soportando mi presencia en su hotel –le dijo en un tono deliberadamente dulce.

–Así es, por desgracia –concedió él con cara de pocos amigos–. A no ser que... podamos llegar a un acuerdo.

–¿Qué acuerdo?

–¿Qué tal si rescindimos su contrato con una indemnización?

Emma abrió los ojos como platos, a pesar de que por dentro estaba ardiendo de ira. ¿Aquel tipejo se creía que con su dinero podía conseguirlo todo?

–¿Quiere compensarme económicamente por dejar mi trabajo?

–Eso es –se preguntó cuándo costaría conseguir que dimitiera. La mesa de negociaciones era su territorio, y donde tenía todas las de ganar–. Puedo ser muy generoso si es necesario...

Emma se quedó horrorizada por aquella muestra de jactancia, pero aún más por la respuesta involuntaria de su cuerpo a la caricia aterciopelada de su voz grave y masculina. Sintió un extraño picor en los pechos y su desconcierto aumentó al reconocerlo como una reacción sexual.

Se reprendió a sí misma por aquella inexplicable ola de calor. ¿Cómo era posible que aquel hombre, precisamente aquel hombre, le pareciera sexy? A ella no le parecía atractivo ningún hombre, y mucho menos la clase de hombre que tenía a las mujeres en tan poca estima.

Acarició brevemente la idea de seguirle el juego y decir una suma escandalosamente alta para asustarlo. Pero el instinto la acuciaba a actuar con cuidado. Zak Constantinides no la miraba con buenos ojos y, aunque ella no buscase su aprobación, no sería sensato tenerlo como enemigo.

De modo que se recostó en la silla y lo miró fijamente. Había visto cosas peores que un magnate abusando de su poder para seleccionar las amistades de su hermano.

–Odio tener que decepcionarlo, señor Constantinides, pero estoy muy contenta con mi trabajo... y mientras siga desempeñándolo al gusto de todos prefiero seguir como estoy, si a usted no le importa.

Zak reconoció el brillo de determinación y obstinación en sus ojos verdes. Era una mujer, era una empleada, ¡y se atrevía a desafiarlo! La perspectiva de un enfrentamiento, sin embargo, lo ayudó a sofocar la indignación. No había nada que le gustase más que una batalla.

Disfrutaba enormemente con el sabor de la victoria, y era ese deleite lo que conducía su ambición y avivaba la constante necesidad de nuevos desafíos. Para un hombre como él no había nada que no pudiera conseguir, y sin embargo la señorita Emma Geary estaba empeñada en contravenir sus órdenes y quedarse con su trabajo.

Pensó brevemente en despedirla y desafiarla a que lo demandara, pues en un juicio él tenía todas las de ganar. Pero no tenía tiempo ni ganas de enzarzarse en un pleito judicial que sin duda acarrearía una publicidad indeseada. Mucho más satisfactorio sería demostrarle a la señorita Geary que no tenía sentido enfrentarse a él.

—Veo que es usted una mujer muy obstinada, señorita Geary.

—Un rasgo que usted conocerá muy bien, señor Constantinides.

Él asintió.

—Quizá le interese saber un poco más sobre la charla que tuve con mis abogados.

—¿Usted cree? —le preguntó ella con recelo.

—Sí, eso creo. Porque me han informado de que en su contrato no hay nada que estipule que deba trabajar en mi hotel de Londres.

La expresión de Zak y el repentino cambio en su

tono pusieron a Emma en guardia. Tenía el presentimiento de que no le iba a gustar nada lo que estaba a punto de oír.

–Pero siempre he trabajado aquí –objetó–. En el Granchester.

–Ya lo sé, y por eso he pensado que podría trabajar en cualquiera de mis otros hoteles. Como ya sabe, el imperio Constantinides se extiende por todo el mundo... ¿No le gustaría irse al extranjero? –arqueó interrogativamente las cejas–. Seguro que le vendría muy bien a su carrera profesional.

Emma intentó contener la irritación al darse cuenta de lo que pretendía su jefe. Iba a ofrecerle un puesto en uno de sus hoteles del Caribe, o quizá en una pequeña ciudad. Para la mayoría de los diseñadores sería una oportunidad única, pero ella sabía la verdad que se ocultaba tras aquella oferta supuestamente generosa.

–Quiere alejarme de Nat... A cualquier precio.

–Bravo, señorita Geary –respondió él amablemente–. Lo ha adivinado.

–¿Sabe Xenon lo que me está proponiendo?

–¿Por qué? ¿Acaso lo tiene en el bolsillo a él también?

–No voy a rebajarme a contestar a esa pregunta, señor Constantinides.

–¡Xenon es el director del hotel, pero ahora soy yo quien toma las decisiones pertinentes! Cualquier cambio que quiera implantar se llevará a cabo sin necesitar la aprobación de nadie.

–¿Y si me niego?

–En ese caso, estaría infringiendo su contrato y yo estaría en mi derecho a despedirla.

Se recostó en la silla y bajó la vista a la tentadora protuberancia de sus pechos. Por un breve instante se sorprendió deseando que Nat se hubiera buscado cualquier otra novia, porque la vehemencia de aquella mujer había prendido de forma totalmente inesperada su apetito sexual. Nadie se atrevía jamás a plantarle cara, y la situación le resultaba tan novedosa que su cuerpo empezaba a reaccionar por su cuenta. Si no fuera la novia de su hermano... ¿cedería a la tentación de invitarla a cenar y pedirle que se pusiera un vestido ajustado y que se dejara el cabello suelto? Las mujeres fogosas y apasionadas tal vez no fueran las mejores esposas, pero sí las mejores amantes.

–¿Alguna objeción al respeto? –le preguntó fríamente, intentando sofocar las llamas que le provocaban sus ojos color pistacho.

–¡Es usted un tirano sin escrúpulos!

–Sus insultos no me afectan. Lo toma o lo deja. La indemnización sigue en pie si se decanta por la segunda opción.

–¡No! –exclamó ella–. No pienso ceder al chantaje ni las amenazas. No se librará de mí tan fácilmente, señor Constantinides.

–Eso ya lo veremos... Mientras tanto, ¿qué tal si se lo piensa? Eso es todo –añadió en tono displicente–. Puede irse.

Emma se puso en pie, roja de ira y tentada otra vez de arrojarle el recipiente de cerámica a la cabeza. Consiguió mantener la dignidad mientras se dirigía hacia la puerta, hasta que la voz de Zak la detuvo.

–Ah, y... Emma.

Era la primera vez que la llamaba por su nombre

de pila, y el sonido que adquiría en su profunda voz griega era tan irresistible que Emma se giró hacia él con el corazón desbocado.

–¿Qué?

Zak la miró con ojos entornados y volvió a sentir el mismo deseo de antes, pero ligeramente intensificado. A pesar de su atuendo y aspecto desaliñado aquella mujer lucía la elegancia de una modelo desfilando por la pasarela.

–Puede considerarlo como una especie de prueba y ver si su compromiso con Nathanael resiste una separación forzosa. Quién sabe... a lo mejor hasta refuerza vuestra relación.

Por un breve instante a Emma le pareció que se lo decía en serio y que Zak se preocupaba sinceramente por la inexistente relación emocional de su hermano. Pero entonces vio el brillo de sus fríos ojos y supo que no era más que una táctica para controlar la situación. A Zak Constantinides no le preocupaba lo que Nat o ella quisieran. Solo se preocupaba por ser el número uno.

Volvió a darle la espalda, olvidándose de toda dignidad y con la sangre hirviéndole en las venas.

–Usted y su oferta de trabajo pueden irse al infierno –abrió la puerta y se encontró con la expresión horrorizada de la secretaria–. Aunque dudo que le permitan la entrada, pues ni el mismísimo diablo podría tolerar la competencia.

Cerró con un portazo y a sus oídos llegó el eco de una risa burlona.

Capítulo 3

ESE HOMBRE es un tirano sin escrúpulos!
–Ya te lo advertí.
–Sí, lo sé, pero... –Emma dejó el tenedor y el cuchillo en la mesa y miró a Nathanael. Guardaba una inconfundible semejanza con su hermano, y sin embargo no tenían nada en común–. No me dijiste que fuera tan... tan...

–¿Tan qué, Em?

Emma se mordió el labio mientras bajaba la vista a la ensalada de mozzarella que apenas había probado. No había nada más que amistad entre Nat y ella, pero no le parecía muy diplomático confesarle lo sexy que le parecía su hermano.

–¡Tan empeñado en salirse con la suya!

–Es un rasgo muy común entre los tiranos –repuso Nat.

Emma sacudió la cabeza. A pesar de su indignación, el encuentro con Zak Constantinides la había dejado profundamente afectada. Y encima la había obligado a mirar al pasado, algo que creía haber olvidado para siempre. El problema con mirar atrás era que se empezaba a cuestionar el presente. Por eso se sentía incómodamente desconcertada y descolocada, como en la calma que precedía a la tormenta.

–No vas a creerte lo que llegó a sugerirme.

–¿Qué?

Emma miró a Nat a los ojos, negros como la tinta.

–¡Que me fuera a trabajar a otro de sus hoteles!

–¿A cuál?

–No lo dijo, pero insinuó que fuera cualquier hotel menos el Granchester... preferiblemente en otro país. Todo para alejarme lo más posible de ti... porque, al parecer, voy detrás de tu fortuna.

–Zak es incapaz de mirar a una mujer sin ver el signo del dólar en sus ojos –comentó Nat–. Aunque, para ser justos, hay que admitir que conoció a muchas mujeres así. ¿Qué le dijiste?

Emma respiró profundamente mientras se recostaba en la silla y miraba alrededor. Le encantaba aquel pequeño restaurante italiano. No estaba lejos del Granchester y entraba en su presupuesto siempre que se limitara a pedir un solo plato. A pesar de las protestas de Nat, siempre insistía en pagar a medias.

Allí iban a comer con frecuencia, dependiendo de la vida amorosa de Nat. Si estaba metido en una apasionante aventura, apenas se veían. Pero si Nat descubría que su última diosa tenía los pies de barro, entonces se veían más a menudo. Nat llevaba algún tiempo sin «enamorarse» de nadie, y eso les permitía disfrutar de su mutua compañía. Todo era natural, sencillo y reconfortante entre los dos... hasta la reunión con Zak Constantinides. Desde que salió de su despacho se sentía como si hubiera despertado de una pesadilla y apenas pudiera recordar nada del sueño.

–Le dije que se fuera al infierno.

Nat se quedó callado unos momentos, con una expresión que Emma nunca le había visto.

–¿Le dijiste a Zak que se fuera al infierno?

–De hecho, le dije que el infierno era demasiado bueno para él.

Nat se echó a reír.

–Me habría encantado ver su cara.

Emma tomó un sorbo de vino, porque pensar en la cara de Zak no la ayudaba precisamente a calmar los ánimos.

–Espero no volver a verlo nunca más –dijo, aunque el corazón le daba un vuelco cada vez que recordaba sus ojos grises y sus duros labios–. Que se quede con su trabajo y sus intentos de manipulación. ¿Quién narices se cree que es para jugar con las personas a su antojo, como si fueran piezas de ajedrez? Voy a presentarle mi dimisión y volveré a ser autónoma. Hay trabajo de sobra en Londres.

Nat frunció el ceño.

–Pero no sabes adónde te destinaría Zak... Piénsalo, Em. Podría ser una oportunidad fantástica. ¿Sabes que tiene un hotel fabuloso en Nueva York, cerca de Central Park? Y en París también, en la avenida Georges V, junto al Sena.

–Conozco toda la oferta hotelera de tu hermano, Nat, y no estoy en absoluto interesada.

–¿Ni siquiera por hacerme un favor?

–¿Hacerte un favor? –dejó la copa en la mesa y entornó la mirada.

–Piensa en ello. Zak es un fanático del control y siempre intenta protegerme.

–Ya lo sé. ¿Por qué lo hace?

–Porque tiene miedo de que alguna mujer astuta y taimada se haga con la fortuna de los Constantinides. Ya pasó con anterioridad, y el resultado es que Zak odia a las mujeres –vio la expresión de Emma y puso una mueca–. Es una larga historia.

–No me interesa la historia de Zak –dijo ella rápidamente. No quería comprender a aquel hombre. No había nada que comprender, salvo que era un tirano despótico e insensible–. No debe de ser muy distinta a la tuya.

–Es peor que la mía. Zak es mayor que yo y tuvo que sufrir el divorcio de mis padres. Está convencido de que las mujeres solo van detrás de mi cartera. No se da cuenta de que son mi encanto y mi pericia en la cama lo que las vuelve locas... Cree que debería volver a casa y casarme con una mujer griega respetable.

–¿Y qué es lo que tú quieres, Nat? ¿O no se te permite tener una opinión?

–No sé... –respondió él–. Lo único que quiero es tener la libertad para vivir mi vida hasta que llegue el momento de sentar la cabeza. Y ahí es donde entras tú, Em. O, mejor dicho, donde podrías entrar.

–No sé adónde quieres llegar, Nat.

Él se inclinó sobre la mesa y le dibujó con el dedo un círculo en la mano.

–Si Zak cree que hay algo serio entre nosotros y que ha conseguido separarnos, dejará de controlarme por una temporada. Pensará que estoy resentido y hará lo que sea para aliviar mi dolor. Hasta puede que me presente a otras mujeres que ayuden a olvidarte. Por una vez en mi vida podría salir con quien me diera la gana sin sentir su aliento en mi hombro. Tendré la libertad que llevo deseando desde siempre...

–¿Y qué conseguiré yo, Nat?

Él sonrió y se encogió de hombros.

–¿La posibilidad de expandir tus alas, tal vez? ¿Incluir algo nuevo y fantástico en tu currículum? ¿Por qué no, Em? ¿Qué te lo impide?

Emma reflexionó sobre la pregunta. ¿Qué se lo impedía realmente? ¿El resentimiento hacia su jefe, manipulador y sin escrúpulos? ¿O era algo más básico... como una especie de miedo arraigado en lo más profundo de sí misma?

Nadie podría culparla por desear un poco de estabilidad por vez primera en su vida. Abrió los labios para rechazar la propuesta, pero las palabras de Nat le habían tocado una fibra especialmente sensible. Y una vez que empezó a pensar en ello, no podía parar.

El Granchester le había brindado un refugio cuando más lo necesitaba. La había ayudado a recuperarse del desastre de su matrimonio y a desarrollar sus habilidades como diseñadora. Se había labrado una vida tranquila y segura, que era lo que siempre había querido, pero... todo se había vuelto demasiado fácil.

Sabía que su anhelo de paz no era más que una reacción ante el pasado, para no repetir los altibajos que tanto la habían consumido. Pero empezaba a ver que quizá se había permitido caer en una rutina que tal vez fuera el momento de romperla. Lo mirase por donde lo mirase, la oportunidad que se le presentaba era una ocasión que no podía desperdiciar, aunque no le hubiera llegado por los medios más convencionales.

¿Qué sería lo peor que podría suceder? ¿Que su arrogante y despótico jefe viera su aceptación como una victoria? ¿Y qué? Zak Constantinides no significaba nada para ella.

Y por otro lado, ¿qué sería lo mejor que podría pasar? Miró el dedo con que Nat seguía dibujándole círculos en la mano. Sería fantástico para engrosar su currículum y darle a su carrera el empujón que necesitaba para demostrar su verdadero potencial.

–Puede que llame a Zak y le diga que acepto su oferta –dijo, aunque no del todo convencida.

–No hace falta que lo llames –respondió Nat–. Puedes decírselo en persona, ahora mismo.

Emma se puso rígida al momento y desvió la mirada hacia la puerta. Zak Constantinides estaba entrando en el restaurante, tan desenvuelto y seguro de sí mismo como si fuese el dueño del local. Y, puestos a pensar en ello, seguramente lo fuera. Otros clientes se habían girado para mirarlo y Emma pensó que quizá ejerciera siempre ese efecto en las personas. Durante unos instantes todo el mundo se quedó callado, atento a su imponente presencia, hasta que la gente siguió comiendo y charlando animadamente.

En cuanto a Emma, el corazón se le desbocó como un caballo salvaje al observar la poderosa anchura de sus hombros, enfundados en un traje oscuro hecho a medida que hacía palidecer al resto de hombres de la sala. Entonces se dio cuenta de que no iba a solo. Una mujer lo acompañaba. Lógico, pensó con una sonrisa irónica. Un hombre como él podía elegir a las mujeres que quisiera.

La mujer parecía griega y tenía un cuerpo de modelo, con una corta melena que enmarcaba unos pómulos marcados y unos rasgos delicados. A pocas mujeres les favorecería tanto un corte semejante, pero a aquella en concreto le confería un aspecto despampanante. Con su minifalda retro de los años sesenta y unas botas blancas por las rodillas, parecía haber salido de las páginas de la revista *Vogue*.

A Emma le resultó imposible apartar la mirada, a pesar del doloroso e inexplicable nudo que se le formaba en la garganta al ver como Zak le ponía una mano en el trasero. Los siguió con la mirada hasta la mesa apartada donde los condujo el maître, y mientras la mujer se sentaba Zak levantó la vista y sus ojos grises se encontraron con los de Emma. Su expresión era de sorpresa e incredulidad, y también de algo más que Emma no logró descifrar.

Los dedos empezaron a temblarle y el corazón le golpeó dolorosamente las costillas. ¿Qué tenía aquel hombre que tanto la afectaba a un nivel físico y mental, llenándole la cabeza con imágenes nada tranquilizadoras?

Consiguió apartar la mirada y bajó la vista a su plato, intacto.

–¿Sabías que iba a venir? –le preguntó a Nat en voz baja.

–¡Pues claro que no!

–¿Podemos pedir la cuenta y marcharnos?

–Demasiado tarde –dijo él–. Viene hacia aquí.

Para Emma fue como si esperara su ejecución. Sintió que le ardían las mejillas y de nuevo aquel extraño escozor en los pechos. Afortunadamente estaba sentada, porque las piernas se le habían transformado en gelatina.

Zak llegó junto a ellos, su enorme sombra cayó sobre el mantel como un oscuro presagio y a Emma no le quedó más remedio que levantar la mirada hacia su atractivo rostro.

–Vaya, vaya, vaya... si es la señorita Emma Geary... Y cenando con mi hermano, nada menos. La viva imagen del amor.

Emma sonrió y colocó la mano sobre la de Nat. No supo si lo hizo para responder al cinismo de Zak o si únicamente intentaba protegerse contra su arrolladora personalidad.

–No podemos evitarlo, ¿verdad, Nat? –preguntó suavemente.

Los ojos de Nat brillaron de asombro por un breve instante, antes de negar con la cabeza.

–No, no podemos, Em –respondió obedientemente.

Zak miró sus manos entrelazadas y se estremeció por dentro al ver el contraste entre la piel aceitunada de Nat y la blancura de Emma Geary. Una hostilidad abrasadora que nada tenía que ver con la protección fraternal que lo acuciaba a embarcar a su hermano rumbo a Grecia y casarlo con una mujer de pasado menos reprochable.

–¿Por qué no vas a saludar a Leda? –le preguntó a Nat, dedicándole una sonrisa a la morena que esperaba en la mesa–. Te acuerdas de ella, ¿verdad?

–Saliste con ella una temporada... pero nunca la hubiera reconocido con ese pelo tan corto. Está increíble –se puso en pie y le sonrió a la mujer–. Todo el mundo creía que os acabaríais casando, Zak.

Zak no respondió y esperó a que su hermano hubiera llegado a la otra mesa antes de girarse hacia Emma. El corazón le dio un extraño vuelco al hacerlo.

Era increíble, pero con una simple ducha y un poco de maquillaje se había transformado definitivamente en la mujer fatal que él había vislumbrado en su despacho. Se había cambiado los vaqueros viejos por un sencillo vestido de lino color gris perla, ligeramente arrugado, pero que realzaba las formas de su suculenta anatomía, y su rubia melena le caía suelta por los hombros. No llevaba el pelo tan largo como en la foto de boda, pero le acariciaba los pechos como una suave cortina de seda.

Una mezcla de celos y lujuria lo asaltó con una fuerza tan estremecedora que a duras penas pudo reprimirse para no besarla allí mismo y...

Horrorizado, y excitado, por las imágenes que invadían su cabeza, tragó saliva y barrió aquellos pensamientos indeseados. No podía estar celoso de su hermano. Ni podía sentir frustración sexual por desear a la mujer más inapropiada posible.

–¿Ha pensado en mi oferta?

–Sí.

–¿Y?

Emma estaba hecha un lío. Tenía buenas razones para aceptar el empleo, pero una razón fundamental para no hacerlo. No sabía por qué Zak Constantinides le provocaba aquella reacción tan violenta, pero pensó que sería fantástico darle una lección a aquel manipulador multimillonario...

Curvó los labios en lo que confío que fuera una sonrisa creíble.

–Acepto.

Él frunció el ceño.

–¿Y ya está?

–Y ya está. Solo con una condición.

–Oh, no, no, de eso nada –sacudió la cabeza–. Soy yo el que pone las condiciones, señorita Geary. No usted.

Ella siguió hablando como si él no hubiera dicho nada.

–Quiero volver a Londres a tiempo para Navidad.

La petición pilló por sorpresa a Zak, que se esperaba alguna disparata exigencia económica o algo por el estilo. ¿Bastaría con dos meses para que la treta surtiera el efecto deseado? Miró hacia donde Nat charlaba animadamente con su acompañante y esbozó una media sonrisa. Desde luego que surtiría efecto. Su hermano no tardaría en olvidar a Emma Geary.

–No creo que eso suponga ningún problema –concedió, antes de mirar el plato intacto de Emma–. Disfrute de su última cena antes de marcharse a su próximo destino...

–Supongo que tendré tiempo para unas cuantas cenas más antes de marcharme.

–Me gustaría que se marchara este fin de semana.

–¿Me toma el pelo?

–No, Emma. Hablo completamente en serio.

Fue la forma con que pronunció su nombre, como si estuviera lamiendo lentamente una cucharada de miel, lo que la hizo tartamudear.

–¿Po... po... por qué tanta prisa?

–¿Por qué demorarlo? –preguntó él, disfrutando enormemente con su poder y con el efecto que causaba en ella–. Cuanto más prolongada es una despedida, más dolorosa resulta. Es mucho mejor romper de una vez por todas y acostumbrarte a vivir sin Nat.

–¿Y adónde piensa mandarme? ¿A Mongolia, tal vez?

–El imperio Constantinides no se ha extendido hasta ese punto... de momento –respondió Zak–. No, voy a enviarte a un lugar bastante más cosmopolita que la estepa mogólica –le explicó tuteándola.

–¿Puedo saber dónde? ¿O es un destino secreto?

Zak sintió una dolorosa palpitación en las sienes. Era enfado, pero también algo más... La insolencia de Emma Geary lo estaba excitando, algo impensable en una empleada.

–¿Qué tal Nueva York? –sugirió en tono suave.

Emma se quedó unos momentos sin saber cómo reaccionar. ¿Sería aquel hombre una especie de sádico, además de un fanático del control? ¿No sabía que Nueva York era la ciudad donde ella había vivido durante su malogrado matrimonio y que estaba llena de malos recuerdos?

Apretó los labios para tragarse la respuesta que tenía en la punta de la lengua. Si mostraba el menor signo de debilidad él se aprovecharía de ello sin piedad, como el abusón sin escrúpulos que era.

–¿Nueva York? –repitió con la expresión más impasible que pudo–. ¡Genial! La ciudad que nunca duerme...

Zak puso una mueca por el manido tópico.

–Eso dicen. Te he reservado un vuelo para el sábado. Un coche te recogerá en el aeropuerto. Mi secretaria se pondrá en contacto contigo con todos los detalles. Te veré en la Gran Manzana, Emma.

Se alejó antes de que ella pudiera decir nada, y Emma tuvo que refrenarse para no perseguirlo por el

restaurante y preguntaré qué había querido decir...
¿Estaba insinuando que estaría en Nueva York al
mismo tiempo que ella?

¿Lo haría para no quitarle el ojo de encima y asegurarse de que cumplía con sus deseos?

No tenía modo de saberlo pero, en aquellos momentos, no le importaba. Lo único que podía sentir era
una extraña y creciente turbación, mezclada con una
galopante excitación que no se atrevía a analizar.

Capítulo 4

ERA MUY extraño estar de vuelta, oír aquel acento tan peculiar y ver a la gente corriendo de un lado para otro con esa especie de afán individualista que solo se podía encontrar en Nueva York. Se recostó en el asiento de cuero y observó los rascacielos que se elevaban a lo lejos mientras la limusina avanzaba hacia la ciudad.

El coche de Zak la había recogido en el aeropuerto JFK, aunque a Emma le hubiera gustado subirse a uno de los emblemáticos taxis amarillos tras hacerse cargo de su equipaje ella misma, como el resto de pasajeros. Eso la habría ayudado a reforzar una sensación de normalidad e independencia que estaba muy lejos de sentir.

Porque lo más extraño de todo era que aquel viaje se le antojaba horriblemente similar al primero y único que había hecho a Estados Unidos, lo cual aumentaba su ansiedad por momentos. Años atrás había estado a la entera disposición de un hombre rico y poderoso, y de nuevo volvía a encontrarse en la misma situación. La única diferencia estaba en que Louis era un hombre débil y pusilánime y Zak era todo lo contrario.

¿Qué querría de ella realmente el magnate griego

con su corazón de hielo? ¿Tan solo que dejara en paz a su hermano?

El coche se internó en el centro y ante Emma desfilaron algunas de las tiendas más exclusivas del mundo, como Saks, en la Quinta Avenida, donde Louis le compró un collar de perlas de precio desorbitado y se echó a reír cuando ella se lo colocó en el pelo como una diadema. Era uno de los mejores recuerdos que conservaba de la ciudad, entre otros muchos que amenazaban con ahogarla como espectros oscuros. Los grandes anuncios y luces de Broadway le recordaban el estadio de los Yankees, donde el grupo de Patterson tuvo que cancelar un concierto multitudinario porque el cantante y líder de la banda apenas podía mantenerse en pie. Y allí estaba la catedral de St. Patrick, donde Emma estuvo llorando en silencio por la muerte de su matrimonio y, poco después, por la muerte de su marido.

Sacudió la cabeza para despejarse y vio que estaban pasando junto a Central Park, unos minutos antes de detenerse frente al hotel Pembroke, con su impresionante fachada art decó, la puerta giratoria de madera oscura, las lámparas de hierro forjado y los grandes maceteros que añadían un toque de exuberancia y verdor al paisaje urbano. Una enorme araña de cristal dominaba el impresionante vestíbulo de mármol, arrojando una lluvia de destellos sobre las plantas ornamentales.

Emma se sentía un poco desorientada debido al cambio horario y al hecho de estar en una ciudad extranjera. No sabía si acercarse al mostrador y preguntar si el señor Constantinides le había dejado un mensaje o...

De pronto sintió una presencia masculina cerniéndose sobre ella. Una mano de piel aceitunada agarró la maleta del suelo y la levantó como si estuviese llena de mariposas en vez de zapatos.

–Bienvenida a Nueva York –la saludó una voz tan sensual como inquietantemente familiar, Emma se encontró cara a cara con los duros rasgos de Zak Constantinides.

¿Sería un brillo triunfal lo que destellaba en sus ojos grises? Seguramente, ya que había conseguido justo lo que quería: que Emma llegara a Nueva York como si fuera una especie de mercancía humana.

Por desgracia, no podía reaccionar con la fría indiferencia que hubiera deseado. Porque, a pesar de su determinación por permanecer impávida, en presencia de Zak Constantinides se sentía tan intimidada como... atraída por él. Aquel día ofrecía un aspecto mucho más accesible, con un jersey de cachemira del mismo color que sus ojos y unos vaqueros que ceñían sus poderosas piernas.

Emma se estremeció bajo la chaqueta... comprada especialmente para soportar el posible frío de noviembre.

–¿Tienes frío? –le preguntó él.

–Un poco –respondió ella en tono despreocupado. Le aterraba pensar que Zak adivinase la verdadera causa de sus temblores involuntarios–. La calefacción en los hoteles de Estados Unidos deja mucho que desear. ¿Y qué hace llevando mi maleta?

–¿Por qué? ¿Te molesta un poco de caballerosidad a la antigua usanza?

Emma no había visto ni recibido mucha caballerosidad en su vida, por lo que se quedó un poco desconcertada.

—¿Recibe así a todos sus huéspedes?

—Claro que no. Pero por ti, Emma, estoy dispuesto a hacer una excepción —las palabras salieron de su boca antes de darse cuenta de que las estaba diciendo en serio.

No se paró a preguntarse por qué había estado mirando el reloj hasta que recibió la llamada de su chófer, diciéndole que el vuelo de Emma había aterrizado sin problemas. Ni por qué había sentido un intenso calor en la ingle cuando el chófer lo informó de que iban camino de la ciudad.

La verdad era que no había podido dejar de pensar en ella. Emma Geary había irrumpido en sus sueños como una indeseada intrusa de piel blanca, ojos verdes y rubios cabellos. O, más bien, como una intrusa muy deseada, porque... ¿acaso no aguardaba su llegada con una sensación tan intensa como desconocida?

Sus fantasías no se correspondían con el aspecto que presentaba. Tenía el rostro desprovisto de maquillaje, había vuelto a sujetarse el pelo en una cola y la ropa que llevaba bajo la chaqueta era lo más discreta posible. Su aspecto sencillo y anodino debería haber sido un efectivo anticlímax, pero aquella mujer poseía una cualidad única e indefinible en sus pómulos exquisitamente cincelados en una piel blanca y brillante y en las pecas doradas que le salpicaban la nariz. ¿Cómo podía lucir una vulnerabilidad tan hermosa? ¿Sería una técnica depurada tras horas de duro esfuerzo, igual que una jugadora de tenis perfeccionaba su revés?

–Estarás cansada –dijo al advertir sus ojeras–. Acompáñame. Te enseñaré dónde vas a alojarte... y podrás ir pensando en la cena.

Sus palabras penetraron en los embrollados pensamientos de Emma y la sacaron de su aturdimiento. Vio que Zak le clavaba una mirada tan fija como un rayo láser y el cuerpo le respondió al momento.

–¿Quiere decir que voy a alojarme aquí? ¿En el Pembroke?

–Pues claro. Es lo más sensato, teniendo en cuenta que solo vas a pasar aquí unas cuantas semanas. ¿Dónde creías que ibas a alojarte, si no?

Emma se había imaginado algún estudio o apartamento en el Lower East Side, donde se despertaría con el ruido de los cláxones y donde le costaría conciliar el sueño por el jaleo nocturno y donde la despertaría el ruido de los barrenderos y camiones cisterna antes del alba. La clase de lugar donde sería difícil encontrar un taxi. Y tan lejos de Zak como fuera posible.

–Todo ha sido tan precipitado que no he tenido de pensar en el alojamiento –dijo en un tono no muy convincente.

–Bueno, pero ya estás aquí, así que ya puedes relajarte.

La gente los miraba mientras atravesaban el vestíbulo hacia los ascensores. No solo llamaban la atención del personal, lógicamente extrañado de que el jefe llevase la maleta de una huésped tan ordinaria, sino también de varios clientes. Mujeres jóvenes alardeando de riqueza les lanzaban descaradas miradas de envidia, mientras que sus novios o maridos, mucho más viejos, levantaban brevemente la vista de sus ordenadores portátiles.

Zak no dijo nada hasta que las puertas del ascensor se cerraron tras ellos. Emma miraba fijamente la flecha roja que iba indicando el número de planta en la subida, y a Zak le resultaba novedoso estar a solas con una mujer que no le dedicara su entera atención.

–Esperaba una respuesta un poco más entusiasta por parte de una empleada al enterarse de que va a alojarse en uno de los mejores hoteles del mundo –comentó irónicamente.

–¿Lo sorprende? –le preguntó ella, mirándolo a los ojos.

–Un poco –admitió él–. Creía que aprovecharías esta oportunidad para disfrutar de la legendaria hospitalidad del Pembroke.

Emma soltó una breve carcajada. Su jefe no podría estar más equivocado. El dinero ya no significaba nada para ella. Había aprendido que las cosas más sencillas eran mucho más importantes que todo el lujo y glamour del mundo. La riqueza podía hundir al que la poseía en un vacío imposible de llenar.

Entonces recordó que si estaba allí era porque su jefe la tomaba por una buscafortunas de primer orden, de modo que abrió exageradamente los ojos en una expresión de impúdica codicia.

–Viéndolo de esa manera... –se lamió los labios e insufló una nota de anhelo en su voz–. ¿Me quedaré en una suite muy grande?

–No tanto como la mía –murmuró Zak en tono burlón, como merecía la pregunta de Emma.

Pero con lo que no contaba era que su cuerpo lo interpretara como una especie de flirteo. Y que el comentario irónico fuera acompañado de un deseo inexplicable por ver sus cabellos rubios esparcidos por la almohada de su enorme cama de matrimonio, y aquellos ojos verdes ardiendo de deseo al recibirlo en sus brazos.

Se maldijo a sí mismo en silencio por la dolorosa erección que crecía en sus pantalones. ¿En qué demonios estaba pensando? Ella era todo lo que él siempre había deseado en el sexo opuesto. Y aunque no lo fuera, ¡estaba saliendo con su hermano!

—Hemos llegado —dijo en un tono más áspero de lo necesario.

Salieron a la planta treinta y dos y Emma observó el lujo que la rodeaba: relucientes suelos de madera noble, alfombras de seda, óleos originales en las paredes...

—¿Mi habitación está en esta planta? —preguntó, pensando en cuánto costaría una noche en el Pembroke.

—Sí. Está justo aquí —dijo él, y abrió la puerta de la suite—. Ponte cómoda. Vendré a buscarte para la cena.

Emma le dedicó una sonrisa forzada.

—Preferiría pedir algo al servicio de habitaciones, si no le importa.

—De ninguna manera. Es lo peor que podrías hacer para superar el jet lag. Si te quedas en la habitación caerás dormida enseguida y te despertarás en mitad de la noche. Y además... hay cosas que necesitamos discutir.

—¿Cosas? ¿Qué cosas?

Zak le sostuvo la horrorizada mirada de sus ojos verdes y una vez más volvió a sentir un arrebato de deseo.

—No hay ningún misterio. Has venido para trabajar, Emma, y aún no te he dicho lo que quiero que hagas. Cenaremos en el restaurante y te lo contaré todo. Te recogeré dentro de una hora.

–Hora y media –replicó ella.

–De acuerdo.

Se giró para marcharse y Emma tuvo que sofocar el deseo de ver cómo se alejaba. Cerró la puerta tras ella y se fijó inmediatamente en la impresionante vista que se disfrutaba a través de los grandes ventanales. Los rascacielos iluminados conformaban el inconfundible perfil urbano de Nueva York, pero aquella vista, por bonita que fuera, estaba llena de malos recuerdos. Y en cualquier caso, Emma estaba demasiado cansada para apreciarla.

Se obligó a deshacer el equipaje, pues si no lo hacía enseguida toda la ropa estaría arrugada a la mañana siguiente. Metió los zapatos en el armario y la ropa interior en los cajones de cerezo, y luego entró en el cuarto de baño para darse una ducha caliente. Después se cepilló el pelo y se puso un albornoz blanco, pensando que le haría falta una taza de café para despejarse antes de vestirse.

Reguló el aire acondicionado y se sentó en la gran cama de matrimonio, donde unos cojines gigantescos parecían empujarse mutuamente por ganar espacio. Apoyó la cabeza en uno de ellos y oyó el gorgoteo de la cafetera mientras los párpados se le cerraban imparablemente.

Otros sonidos empezaron a infiltrarse en su sueño. Oyó el traqueteo de un carrito, que le hizo pensar que aún seguía a bordo del avión, y unos golpes ahogados. Lo siguiente fue sentir una mano en los brazos, contra la suave tela del albornoz. Abrió los ojos de golpe y se encontró a Zak de pie a su lado, mirándola con una extraña tensión en el rostro.

Durante unos instantes ninguno de los dos habló. Se mantuvieron la mirada en silencio, como si el tiempo y el espacio hubieran quedado suspendidos y estuvieran encerrados en su propio universo.

A Emma le latía fuertemente el corazón mientras observaba desde abajo a Zak, invadida por un repentino deseo y embriagada por su cercanía y la fragancia a sándalo. Consciente, además, de que estaba desnuda bajo el albornoz y que los pechos empezaban a picarle ante el escrutinio de Zak.

–¿Qué pasa? –murmuró entre sus labios resecos.

Zak observó como se humedecía los labios con la punta de la lengua. Era hermosa, pensó. Realmente hermosa.

–No podía despertarte –le reprochó él.

Emma pensó que podría haberla llamado por teléfono, pero no lo dijo porque su mano seguía en el brazo y, por mucho que la avergonzara admitirlo, no quería que la retirase. ¿Se debería a su estado de somnolencia y desorientación o realmente le gustaba que la tocase?

–Bueno, pues ya me ha despertado –dijo mientras intentaba contener un bostezo.

Zak apartó la mano de mala gana y se acercó a la ventana para cambiar la tentadora imagen del albornoz blanco por la conocida vista de los rascacielos iluminados. Pero no podía dejar de pensar en el cuerpo que se ocultaba bajo aquel albornoz ni en la fragilidad que expresaba el rostro dormido de Emma. No fue hasta que ella abrió los ojos que Zak se maldijo por olvidar dos hechos vitales.

Ella no era su tipo de mujer.

Era la mujer de su hermano.

Pero era imposible negar, y especialmente para un hombre con tanta experiencia como él, la atracción sexual que chisporroteaba entre ellos desde el primer momento. Y aquello justificaba, en cierta forma, que la hubiese llevado a Nueva York. Si Emma podía alejarse tan fácilmente de su hermano, ¿no estaría mejor Nat sin ella?

–Te espero en el restaurante –le dijo entre dientes–. Dentro de quince minutos.

Emma se incorporó en la cama mientras él se alejaba sin mirarla, pero podía sentir el enojo que desprendía su poderoso cuerpo.

¿Qué le pasaba? ¿Estaría irritado por haber estado mirándola como si quisiera devorarla?

¿Por desear lo mismo que deseaba ella?

Invadida por la culpa, buscó su ropa interior y se abrochó torpemente un sujetador negro de encaje mientras se agudizaba el escozor de sus pechos. La humillante verdad era que deseaba a Zak Constantinides como nunca había deseado a nadie más. ¡Ni siquiera a su marido!

Y él también debía de haber sentido la atracción, porque habría que estar hecho de piedra para no darse cuenta. Zak ya la veía como una cazafortunas impúdica y depravada, y su reciente comportamiento no haría sino reforzar la pobre opinión que tenía de ella.

Tenía que calmarse y encontrar sus agallas. No era una marioneta que él pudiera manejar a su antojo. Emma había trabajado muy duro en el Granchester para labrarse una buena reputación en el mundo del diseño. Lo había hecho movida por una determinación inquebrantable, mucho esfuerzo y apenas preparación. No podía permitirse perderlo todo por culpa de una reacción indeseada a un hombre que ni siquiera le gustaba.

De ninguna manera.

Tendría que empezar mandándole un mensaje subliminal, pero muy claro, haciéndole ver que no era su propósito seducirlo.

Su aspecto le permitía acicalarse o vestirse discretamente, según la ocasión. Y aquella noche llamaba definitivamente a pasar desapercibida. Para ello eligió unos pantalones de terciopelo negro y una camiseta blanca. Con el pelo no podía hacer gran cosa, ya que se le había enmarañado al aplastarlo contra la cama estando aún húmedo. De modo que se hizo un sencillo recogido en la nuca y prescindió de todo maquillaje y adornos, salvo unos pendientes de venera. Nada más. ¿Acaso lo informal no estaba de moda?

Pero en cuanto entró en el restaurante se dio cuenta de que su vestimenta no era la más apropiada. O, mejor dicho, era excesivamente apropiada. Nunca había visto tanta piel al descubierto en un lugar público, y la exhibición de joyas y adornos que lucían el resto de mujeres la hizo sentirse completamente fuera de lugar.

Mantuvo la cabeza alta mientras le daba el nombre de Zak a un perplejo camarero, y mientras lo seguía hacia la mesa del magnate griego sintió las miradas de los demás comensales. Había olvidado lo que era ser juzgada por gente que ni siquiera la conocía.

Se le formó un nudo en el estómago cuando Zak se levantó para saludarla y la miró con ojos entornados. A Emma le pareció advertir una crítica en su escrutinio, y aunque había elegido la ropa con aquel propósito en mente, una parte de ella, una parte muy femenina, se encogió ante su severa observación.

—Parece que vienes de un festival de rock —le comentó en tono sarcástico.

Emma examinó su impecable traje oscuro.

—Y usted parece que está a punto de lanzar una OPA hostil en una sala de juntas.

Zak estuvo a punto de sonreír, pero se recordó que no estaba allí para divertirse con ella. Tal vez no fuera tan mala idea que se presentara a cenar como si fuera a encender incienso y ponerse a meditar en el suelo con las piernas cruzadas.

—¿Qué te parece si pido yo para ganar tiempo? —le sugirió cuando el camarero le tendió a Emma una carta—. El bistec es excelente.

Emma esbozó una sonrisa cortés.

—No lo dudo, pero no como carne.

—¿No comes carne?

—¿Qué parte de mi declaración no entiende, señor Constantinides?

Él la observó con ojo crítico.

—No me extraña que estés tan pálida.

—Debería probarlo alguna vez... Una dieta pobre en carne ayuda a rebajar la agresividad.

Zak soltó una carcajada.

—Un hombre auténtico come carne, Emma.

Su alarde de virilidad hizo que Emma bajase rápidamente la mirada al escueto apartado de platos vegetarianos de la carta. Recordó cómo lo había encontrado mirándola al despertar. Un inconfundible brillo de deseo ardía en sus ojos, y ella se había derretido bajo aquella mirada.

De repente sintió un escalofrío recorriéndole la espalda. Era miedo. Porque sospechaba que Zak Constantinides conocía muy bien el alcance de su poder sobre las mujeres, y lo último que ella necesitaba era revelarle el deseo que él le estaba provocando.

–Vas a tener que dejar de llamarme «señor Constantinides».

–Creía que con eso ayudaría a subirle el ego.

–No necesito nada para subirme el ego –repuso él–. ¿Crees que podrías llamarme simplemente «Zak»?

Emma cerró la carta y alzó la vista.

–Tomaré la lasaña de berenjena y ensalada, por favor... Zak.

–Y yo, entrecot –le tendió las cartas al camarero, gratamente sorprendido por la erótica entonación de su nombre pronunciado con el suave acento británico de Emma–. ¿Vino?

Emma lo pensó unos instantes. No debería tomarlo, pues una cena con vino se asemejaba más a una velada romántica que a una comida de negocios. Pero estaba agotada, y la idea de resistir una velada con Zak Constantinides sin algo que la ayudara a relajarse era más de lo que podía tolerar.

–Una copa estaría bien.

Él asintió y poco después apareció el sumiller con dos copas de un vino tinto tan exquisito que Emma pudo olerlo a varios pasos. Tomó un sorbo con avidez y dejó la copa en la mesa con un suspiro de deleite.

–Es muy bueno –dijo al ver la curiosidad que brillaba en los ojos de Zak.

–Pues claro que es bueno... ¿Crees que podría beber algo que no fuera lo mejor?

–Qué tonta de mí al no darme cuenta de que todo lo que haces es una prueba de lo maravilloso que eres...

–Pues sí, pero no te he hecho venir para hablar del vino. Emma. Ni de mí.

–Lo sé –dijo ella, y el corazón empezó a latirle aceleradamente al sospechar el próximo paso.

–Quiero saber cómo es estar de vuelta en Nueva York –le pidió él en un tono más duro–. Viviste aquí estando casada, ¿no?

De modo que no había olvidado ese detalle... ni le preocupaba cómo pudiera sentirse ella al respecto. Por algo le había dejado muy clara su hostilidad hacia ella desde el principio. No le importaba hacerle daño, porque solo la veía como un obstáculo que había que limpiar de la vida de su hermano.

Quería decirle que el pasado no era asunto suyo, pero una dolorosa resignación frenó las palabras en su garganta. Porque aquella conversación había sido inevitable desde que ella entró en su despacho por primera vez. Zak estaba decidido a saber más de ella y era imposible evadir su implacable interrogatorio.

–¿Qué quieres saber? –le preguntó. Tal vez se sintiera avergonzada de su pasado, pero se sentía orgullosa por cómo había renacido de las cenizas.

–Quiero saber cómo una chica inglesa de pueblo consiguió conocer y casarse con un famoso como Louis Patterson. Y si valió la pena el precio que pagaste por tus diez minutos de gloria...

Capítulo 5

EMMA apretó el pie de la copa de vino mientras se enfrentaba a la acusación que ardía en los grises ojos de Zak.

–Me sorprende que debas preguntarme por mi pasado... Creía que tus sabuesos ya me habían investigado a fondo.

Zak tomó un sorbo de vino.

–Conozco los hechos. Lo que me interesa son las razones que los provocaron. Y asumámoslo, Emma. Si tu relación con mi hermano sobrevive a esta separación... –hizo una pausa e intentó contener los pensamientos que le inspiraba aquella posibilidad–. Si de verdad te conviertes en mi cuñada... me debes una explicación más detallada sobre tu pasado.

–¡Yo no te debo nada!

–¿No? ¿Y por qué tanto misterio? ¿Te avergüenzas de algo que hiciste? ¿Te metiste en algún asunto ilegal, tal vez?

–¡No!

–¿Y Nat conoce tu pasado?

–Pues claro que sí.

–¿Por qué no me lo cuentas a mí también?

Emma tomó un largo trago de vino. No quería contárselo, porque sabía que Zak no era tan magnánimo como su hermano. No le gustaba la manera que tenía de diseccionarla con sus fríos ojos grises, como si fuera una cobaya de laboratorio, indefensa ante el cruel escalpelo del científico.

Por otro lado, no tenía sentido avergonzarse de lo que había sido su vida. Ya no. Ella no tenía la culpa de que su madre hubiera sido una mujer frívola y superficial que anteponía cualquier hombre que se cruzara en su camino a su hija pequeña, a la que había inculcado unos valores bastante reprobables y muy difíciles de desaprender.

–¿Sabes que soy hija ilegítima? –le preguntó sin más rodeos.

La pregunta pilló a Zak por sorpresa. Y le sorprendió aún más el inesperado deseo que tuvo de consolarla.

–Hoy día ya no es el estigma que era antes.

–En teoría no –replicó ella–. Pero en la práctica no ayuda mucho que todo el mundo sepa que no conoces a tu padre. O que tu madre se acuesta con un desconocido cada noche.

Zak apretó los labios, olvidando todo resto de compasión.

–Tu madre era una...

Emma sacudió la cabeza.

–No, no era una prostituta. Simplemente... –tragó saliva– le gustaban los hombres y no sabía elegirlos. Un rasgo que parece que he heredado de ella.

Zak entornó la mirada.

–¿En serio?

–No me refiero a Nat –se apresuró a aclarar. Tenía que hacerle creer a Zak que estaba enamorada de su hermano–. Nat es lo mejor que me ha pasado en mi vida.

–No estamos aquí para hablar de mi hermano –espetó él, sintiendo una irritación que nada tenía que ver con el sentimiento de protección fraternal–. Te he preguntado por Patterson. ¿Cómo lo conociste?

Emma tardó en responder. Aún le dolía revivir su ridícula ingenuidad.

–¿Cómo lo conocí? Supongo que fue un cúmulo de circunstancias, imposible de prever.

–¿Ah, sí?

–Mi madre era una excelente bailarina. En otra vida quizá hubiera sido una gran profesional, pero como madre soltera y sin apenas recursos estaba muy lejos de hacer realidad sus sueños. Odiaba la vida doméstica y las responsabilidades como madre, de manera que nunca jugaba conmigo a nada ni me leía cuentos por las noches. Lo único que recibí de ella fue su buen gusto por la moda y su talento para el baile.

Zak asintió. Al fin encontraba una explicación para la forma en que Emma parecía flotar cuando abandonó su despacho.

–¿Te enseñó a bailar?

–Sí –se echó hacia atrás para que el camarero depositara la lasaña de berenjena ante ella, e intentó no estremecerse de asco al ver el sangriento entrecot de Zak–. Fueron los mejores momentos que pasé con ella. Ponía la música tan alta que los vecinos golpeaban el techo con una escoba, nos envolvíamos con unos pañuelos y bailábamos hasta caer rendidas.

–¿Y Patterson te vio bailar?

Emma asintió casi imperceptiblemente con la cabeza.

—Sí. Yo tenía dieciocho años cuando lo conocí, en el mejor club nocturno de Londres. Mi madre me había regalado la entrada por mi cumpleaños, tras pasarse meses ahorrando para ello. Dijo que toda chica debía ver al llegar a la mayoría de edad el glamour que podía ofrecer el mundo. Yo nunca había estado en un lugar así.

—¿Nunca?

Emma negó con la cabeza.

—Dentro estaba oscuro, había luces parpadeantes y una música atronadora. La verdad es que no me gustó. Me pareció algo falso... irreal. Había una gran plataforma plateada en el centro y entonces empezó a sonar mi canción favorita. Una de mis amigas me hizo subir y me puse a bailar con toda mi alma. Louis estaba sentado en un rincón, observándome. Tiempo después me dijo que...

—No me lo digas. ¿Amor a primera vista? —adivinó él en tono sarcástico.

Ella se encogió de hombros.

—Eso fue lo que me dijo.

Zak apartó su plato, irritado por la actitud defensiva de Emma. No le costaba imaginarse la imagen tan cautivadora que debía de haber ofrecido Emma en aquel club. Joven. Rubia. Supuestamente virgen...

—¿Le serviste de inspiración?

—Eso parece. Compuso *Fairy Dancer* aquella misma noche, y cuando la canción alcanzó el primer puesto en la lista decidió que yo era su musa y que no podía vivir sin mí. Para una chica joven e impresionable es fácil que ese tipo de cosas se le suban a la cabeza.

Louis la había colmado de regalos y atenciones, pero lo más importante fue que no intentó nada con ella. Le dijo que respetaba su virginidad y que con gusto esperaría hasta que estuvieran casados. Y ella aceptó, arrastrada por la ola de excitación irreal y por el entusiasmo desbordado de su madre. La noche antes de la boda la asaltaron las dudas, pero ya era demasiado tarde. Su madre le dijo que solo eran los nervios y la acució a seguir adelante.

—Así que me casé con él. El resto lo conoce todo el mundo. Un año después me lo encontré muerto por una sobredosis de drogas y alcohol. No es un tema en el que me guste indagar mucho... ¿Hay algo más que quiera saber, señor Constantinides?

—Te he dicho que me llames Zak.

Ella lo miró fijamente, sacudida por la catarsis emocional que suponía desenterrar una historia olvidada. Quería decirle que le parecía algo muy íntimo llamarlo por su nombre de pila y que necesitaba mantener entre ellos la mayor distancia posible. Porque con él empezaba a sentir el mismo deseo y necesidad que había destrozado la vida de su madre. El profundo anhelo de ser amada, besada y adorada como si fuese el centro del universo.

—Estoy muy cansada, Zak. ¿Qué tal así?

—Mejor.

—Creo que me voy a la cama.

—No has probado tu cena.

—Tú tampoco.

—No —Zak volvió a mirar su plato. Nunca un entrecot le había parecido menos apetitoso.

Claro que nunca se había encontrado en una situación similar. Había partes de la historia de Emma que habían despertado una indeseada empatía, pero eso no cambiaba el problema de base. Emma Geary seguía siendo la mujer equivocada para Nat, y siempre lo sería.

–Te acompaño a tu habitación.

–No es necesario.

–Es muy necesario –replicó él–. Estás sufriendo los efectos del jet lag y seguramente te sientes desorientada.

Desde luego que se sentía desorientada, pero él no la estaba ayudando en absoluto. La cercanía de su fuerza viril la tentaba con la esquiva promesa del placer sexual. Y eso no estaba bien. Por Nat y porque se trataba de Zak.

La falta de sueño, el estómago vacío y una copa de vino tinto formaban una combinación letal. Las piernas le temblaban de camino al ascensor, en el que afortunadamente subían bastantes clientes como para impedir cualquier conversación íntima. Las puertas se abrieron en la planta número treinta y dos y Zak la siguió hasta su habitación. Cuando alcanzaron la puerta, Emma se puso a hurgar en su bolso para buscar la tarjeta y se balanceó ligeramente, incapaz de seguir sosteniéndose por más tiempo.

La mano de Zak la agarró inmediatamente y ella puso todo el cuerpo rígido. El contacto pareció chisporrotear a través de la fina tela, como si los dedos le abrasaran la piel. El corazón le dio un brinco y la respiración se le aceleró como si hubiera estado corriendo.

Permanecieron inmóviles, mirándose el uno al otro,

mientras todo a su alrededor se desvanecía. En aquel momento Emma lo deseaba con una fuerza que barría toda razón de su mente.

–Zak... –susurró, aunque no supo por qué pronunciaba su nombre. Le parecía demasiado íntimo y personal, después de su rechazo inicial a pronunciarlo.

Zak captó la insinuación en su voz y se vio invadido por un deseo incontenible. La cabeza lo acuciaba a soltarla, pero el cuerpo se negaba a obedecer.

Bajó la mirada hacia ella y se quedó fascinado por la expresión de sus ojos verdes y cómo entreabría los labios en una invitación inconsciente. En aquel momento supo que si agachaba la cabeza podría reclamar aquellos labios en un beso que los haría arder a ambos.

Se imaginó estrechándole entre sus brazos, frotando la creciente erección contra ella, llevándola a su habitación y desnudándola con premura.

Casi podía oír los fuertes latidos de su corazón y saborear el deseo que impregnaba el aire. Sabía que ella se lo permitiría. Separaría los muslos y lo aceptaría en su dulce y húmeda intimidad...

¿Debería aprovecharse? ¿Debería tomarla allí mismo?

Las vívidas imágenes que se representaban en su cabeza a punto estuvieron de ser su perdición, pero entonces se obligó a imaginar las consecuencias. Tener que confesarle a su hermano lo que había hecho. Tener que mirarla a ella a la mañana siguiente...

Dejó caer la mano al costado y apretó los labios en una mueca de contención y desprecio hacia sí mismo.

¿Sería aquella la manera que tuvo Emma de seducir

a Louis Patterson, a Ciro D'Angelo y a su hermano, como una sirena terrenal que cautivaba a los hombres con rus rubios cabellos, sus ojos verdes y la promesa de sus sensuales curvas?

Dio un paso atrás.

–Has dicho que estabas cansada –espetó con dureza–. En esos casos es mejor irse sola a la cama.

Se giró sobre sus talones y dejó a Emma a solas con su perplejidad y vergüenza. Asimilando que la había rechazado por algo que ni se había dado cuenta de estar haciendo.

Capítulo 6

A LA MAÑANA siguiente Emma encontró un sobre que habían deslizado bajo la puerta y supo de quién procedía antes incluso de abrirlo. Las palabras negras parecían saltar del papel cremoso al sacar la hoja.

Anoche no hablamos de tu trabajo. Reúnete conmigo en el vestíbulo a las diez. Zak.

Nada más. Ninguna palabra cortés, ningún comentario amable, ningún deseo de que hubiera pasado una buena noche.

El largo viaje en avión había hecho mella en su organismo, y se había despertado a las cuatro y media de la mañana en un estado de alteración que le impidió volver a dormirse. Permaneció en la cama, mirando el desconocido entorno y recordando los extraños y provocativos momentos que vivió en el pasillo, cuando habría podido jurar que Zak iba a besarla.

Cuando ella había querido que la besara...

Ella, que había abjurado de los hombres y de todo compromiso emocional.

¿Se habría vuelto loca de remate o simplemente estaba sufriendo los efectos del jet lag y del vino? Subió la persiana y contempló el verde oasis de Central

Park. Fuera como fuera, no iba a cometer el mismo error dos veces.

Dejó la nota de Zak en el aparador y se duchó y vistió antes de pedir el desayuno al servicio de habitaciones. No tenía apetito, pero se obligó a comerse la tostada con mermelada porque sabía que la necesitaba. El café estaba muy cargado y la ayudó a sentirse mejor.

Pero al llegar al vestíbulo volvía a estar nerviosa, y los nervios aumentaron cuando vio a Zak de espaldas a ella, hablando de pie por su teléfono móvil. Por más que intentaba adoptar una fría indiferencia hacia él, no podía evitar un ataque de nervios cada vez que lo veía. Aquella mañana llevaba un traje gris marengo, y Emma se alegró de haber elegido algo más elegante de su vestuario. Tenía el presentimiento de que en aquella ciudad había que tomarse mucho más en serio el asunto de la ropa, sobre todo en lo relativo al trabajo.

Zak se volvió hacia ella, dejó de hablar por el móvil y la miró con ojos entornados. Emma se preguntó qué estarían viendo. ¿Habría vuelto a fallar en la indumentaria? Tal vez su jersey y sus vaqueros claros ceñidos eran demasiado informales para el gusto del magnate hotelero.

Zak se acercó a ella con una expresión inescrutable, y Emma sintió que empezaba a ruborizarse. Al parecer, lo de la noche anterior no había sido un desliz erótico, porque ni siquiera la luz del día atenuaba el deseo.

Tenía que comportarse con naturalidad, como si no le hubiera contado la historia de su vida durante la cena.

–Buenos días –lo saludó con la más radiante de sus sonrisas.

A Zak no se le pasaron por alto las sombras bajo los ojos, que contradecían su tono exageradamente alegre.

–Pareces cansada.

–Será porque lo estoy.

–¿Has estado mandándole mensajes a mi hermano toda la noche? –le preguntó en tono mordaz.

No podría estar más equivocado en sus suposiciones, porque ella apenas había pensado en Nat desde su llegada.

–La verdad es que no.

¿Qué podría haberle dicho? «Lo siento, Nat, ya sé que dije que tu hermano era un tirano y un fanático del control, pero anoche me moría porque me hiciera el amor. Me he pasado la noche en vela, imaginando lo que haría si él viniera a mí, convencida de que le abriría la puerta y me entregaría a él sin reservas».

–Estaba demasiado ocupada contando ovejitas para intentar conciliar el sueño, pero fue en vano. De modo que tendrás que disculparme si tengo la cabeza en otra parte. El jet lag tiene la culpa de todo.

Su respuesta relajó un poco a Zak, lo cual no debería ser así. ¿Acaso había temido que ella le dijera a Nat que su hermano mayor había intentado seducirla? ¿Y el remordimiento que lo carcomía por dentro se debía a que realmente había intentado hacerlo?

–¿Has desayunado?

–Sí, gracias. Pedí que me subieran el desayuno a la habitación –volvió a sonreír, decidida a disipar la tensión con un poco de donaire profesional–. ¡Hace una preciosa mañana de otoño y estoy impaciente por empezar mi primer día de trabajo en Nueva York! Aún no me has dicho qué parte del hotel quieres redecorar.

La sonrisa de Emma le provocó una extraña reacción a Zak. Se le aceleró el pulso y volvió a sentir una incómoda palpitación en la entrepierna. Se había pasado despierto gran parte de la noche, pensando en lo que Emma le había contado sobre su vida, su madre y esas prácticas de baile que enloquecían a los vecinos. Y, por más que quisiera despreciarla, su historia le había causado el efecto contrario. Emma no había elegido aquella vida. Se la habían impuesto. Visto desde aquella perspectiva, casi podía entender su temprano matrimonio con un rockero drogadicto.

Pero no había lugar para la compasión. Emma sabía perfectamente lo que estaba haciendo. Era su modus operandi. Su matrimonio con Louis Patterson le había enseñado lo que podía conseguir con su candor e inocente belleza. La exquisita delicadeza y vulnerabilidad que irradiaban sus rasgos causarían estragos en cualquier hombre, sobre todo en aquel que tuviese la influencia y recursos para protegerla. ¿Le habría contado a Ciro la misma patética historia que a él, consiguiendo que el implacable italiano le ofreciera un empleo fijo en el Granchester? ¿Sería la razón por la que su hermano renunció a sus aventuras amorosas para dedicarse por entero a ella?

Pues no le iba a servir de nada, decidió Zak. Más le valdría buscarse a cualquier otro ingenuo, porque él no iba a consentir que la viuda de un yonqui acabara casándose con un miembro de la familia Constantinides.

–Ven conmigo –dijo secamente, y echó a andar hacia el salón de actos sin molestarse en ver si lo seguía.

Emma intentó asimilar el ambiente del hotel mientras caminaba rápidamente detrás de Zak. Había hecho los deberes en el avión al estudiarse toda la información pertinente. Pero los folletos y revistas no podían captar toda la grandeza del Pembroke.

El Granchester era un hotel enorme, pero el Pembroke era como un hermano pequeño que hubiese recibido todos los cuidados y atenciones posibles. Su glamour y elegancia eran la prueba palpable de la inmensa fortuna que debían de poseer sus propietarios, y Emma se preguntó si Zak lo había heredado todo de su padre. Nat le había contado una enrevesada historia sobre el dinero de su familia, pero a ella le había entrado por un oído y le había salido por otro. No estaba en absoluto interesada en la fortuna de los Constantinides, pero Zak jamás se lo creería.

–Esta es la sala que vas a reformar –le dijo él al detenerse ante unas puertas art decó decoradas con vidrieras de colores. Las abrió y Emma pasó a una sala escasamente amueblada, aunque ¿quién necesitaría muebles en una sala de dimensiones tan impresionantes, con un techo alto en el que brillaba un mosaico plateado y una terraza con vistas espectaculares a Central Park y su tranquilo lago?

–Es precioso, Zak –dijo, y al mirarlo sintió la imperiosa necesidad de cambiar la pobre opinión que tenía de ella–. Lo siento, ya sé que no es una observación muy original... No necesitas que te diga lo bonito que es.

–No, no lo necesito, aunque la aprobación de una

profesional siempre resulta gratificante. Esta es la sala de la que vas a ocuparte.

–¿Tendré ayuda?

–Sí. Contarás con un ayudante, un despacho y una tarjeta de crédito.

–¿A quién debo presentarle las facturas?

–A nadie.

–¿En serio? –le preguntó ella, sorprendida.

–He visto los presupuestos que manejabas en el Granchester. Y viendo lo económica que resultas estoy dispuesto a darte un cheque en blanco.

Emma sonrió, tontamente complacida por aquella muestra de confianza.

–¿Qué tal si me cuentas tus planes para esta sala? ¿Qué tienes pensado hacer con ella?

La respuesta de Zak fue lo último que Emma se esperaba oír.

–Quiero convertirla en una sala de bodas.

–Una sala de bodas... –repitió ella lentamente.

–Pareces sorprendida.

–Lo estoy.

Zak la miró de soslayo.

–¿Y por qué?

Emma acarició la idea de ser completamente sincera con él. Al fin y al cabo, ¿qué era lo peor que podría pasarle? ¿Que a Zak no le gustase su franqueza y la enviara de vuelta a casa?

–No me pareces la clase de hombre al que le interesen mucho las bodas.

–Enséñame algún hombre al que le interesen de verdad –respondió él mordazmente–. Pero a muchos de nuestros huéspedes les gustaría contraer matrimonio aquí mismo y disfrutar de las vistas y el glamour que ofrece el hotel. Hasta ahora me había resistido a la idea, ya que la publicidad que conllevan esos eventos me parece un engorro. Y tampoco necesito la histeria que se desata en el género femenino cada vez que se le celebra una boda... –añadió con cinismo.

–¿Y... qué te ha hecho cambiar de opinión?

–Una persona.

–¿Una persona? –repitió, sintiendo como se le aceleraba el corazón–. ¿Qui.... Quién?

Zak no pareció advertir su ridículo balbuceo.

–Se llama Leda.

Emma se devanó los sesos hasta que recordó dónde había oído antes ese nombre. Leda era la mujer con la que había visto a Zak en el restaurante de Londres. La mujer con el pelo corto y los pómulos marcados.

–¿Es la mujer con la que estabas en Londres? ¿La mujer con minifalda y botas altas?

–La misma.

–¿Y va a... casarse? –la posibilidad de que Zak y esa mujer fueran a contraer matrimonio debería suponer un alivio, ya que de esa manera el astuto magnate dejaría de meterse en la vida de su hermano. No tenía razón alguna para sentir celos. Y sin embargo... así se sentía–. ¿Con quién?

–Con un banquero de otra ciudad –se encogió de hombros–. Es un buen tipo, aunque un poco aburrido. La hará feliz.

Emma miró sus ojos grises y recordó algo que Nat le había dicho a su hermano. «Todo el mundo creía que os acabaríais casando». ¿Se arrepentiría Zak de haber perdido a Leda? ¿Le dolería que fuera a casarse con «un buen tipo»?

–Es muy bonito lo que estás haciendo por ella –le dijo amablemente, buscando algún atisbo de emoción en sus ojos.

–Es una decisión comercial, no sentimental –espetó él.

Su tono zanjaba el tema y Emma decidió volver al proyecto. La vida amorosa de Zak no era asunto suyo, aunque aún sintiera algo por su exnovia.

–¿Tienes alguna idea en particular sobre las reformas de la sala? ¿Algo tradicional, o prefieres algo más moderno?

Zak negó con la cabeza y miró su reloj.

–No soy un experto en decoración y tampoco me interesa mucho. Doy por hecho que sabrás la clase de cosas que esperan las novias, así que tienes vía libre.

Emma arqueó las cejas.

–¿No has pensado que, habiéndome traído aquí bajo coacción, podría hacer deliberadamente una chapuza con tu salón de bodas? ¿Te imaginas una sala rosa llena de guirnaldas? ¿Cómo afectaría eso a la fama del Pembroke? ¡A los gurús del buen gusto les daría un ataque!

Zak se inclinó hacia delante y el olor a sándalo volvió a embriagar sus sentidos.

–Tal vez, pero no sería muy buena idea... Las personas que me contrarían lo acaban lamentando.

Emma sospechó que se estaba refiriendo a su hermano y no a paredes de color rosa.

–Eso suena a amenaza...

Los labios de Zak se curvaron en una sonrisa maliciosa.

–Es más bien una advertencia para que sepas cuál es tu lugar.

–Tendría que ser muy obtusa para no darme cuenta. Dime, ¿siempre intentas intimidar a tu personal?

–Solo a los empleados que me dan problemas, pero afortunadamente son pocos y están muy distanciados unos de otros. Y generalmente no tardo mucho en despedirlos.

–¿Y si te dijera que no soporto tu actitud y que no quiero trabajar para ti?

–Por mí, hazlo –respondió él, con ojos brillantes–. Es más, estoy tentado de pagarte un año en vez de que avises con un mes de antelación.

Y entonces habría ganado él, pensó Emma. Habría conseguido librarse de ella sin necesidad de despedirla. Y ella habría defraudado a Nat.

–Eres un bruto –lo acusó.

–Nunca lo he negado. Pero a casi todas las mujeres parece gustarles mi forma de tratarlas.

–¿Estás seguro de ello?

–Míralo de este modo... Nunca he recibido ninguna queja.

Emma vio cómo se oscurecían sus ojos al chocar sus miradas. Vio también cómo le palpitaban las sienes y cómo apretaba los labios, como si se arrepintiera de sus insinuantes palabras. Pero ya no podía tragárselas, ni borrar las imágenes eróticas que habían provocado.

Quiso decirle que dejara de hacerla sentirse así, expuesta a sus impulsos más íntimos, dispuesta a hacer lo que fuera para que la estrechara en sus brazos y la besara hasta barrer la insoportable tensión que crecía imparablemente dentro de ella.

La misma tensión percibía en el cuerpo de Zak, y se preguntó qué habría pasado a continuación si una mujer menuda y morena no hubiese entrado en la sala.

–¡Hola, Zak! –lo saludó alegremente, pero se detuvo en seco al ver la rígida postura de ambos–. Oh, lo siento... ¿Interrumpo algo?

Zak se apartó rápidamente de Emma. El corazón se le iba a salir del pecho. Había estado a punto de tomar a Emma en sus brazos, ¿y qué habría hecho entonces? ¿La habría besado? ¿Habría sido capaz de besar a la novia de su hermano?

Se tragó la insufrible mezcla de remordimiento y frustración y le dedicó una sonrisa a la recién llegada, aunque sonreír era lo último que le apetecía hacer en esos momentos.

–No, Cindy... no interrumpes nada. Te presento a Emma Geary, la diseñadora de interiores del hotel Granchester. Emma y yo estábamos aclarando algunos puntos importantes, ¿no es así, Emma? –como que su hermano se había enamorado de una mujer que parecía detrás de cualquier hombre con una abultada cartera.

Emma detectó el inconfundible tono de desprecio en su voz y pensó en lo injusto que estaba siendo Zak con ella. La hacía sentirse ruin y culpable, como si hubiera hecho algo malo. Pero era él quien se había puesto a flirtear con ella y a jactarse de sus éxitos con las mujeres. Ella no lo había provocado. ¿Por qué tenía que cargar entonces con la culpa?

Alargó la mano para estrechar la de Cindy, intentando disimular el temblor de los dedos.

–Así es. Estábamos aclarando lo exigente que puede ser trabajar para el señor Constantinides, pero seguro que aprenderé a cumplir con sus requisitos. Cualquier consejo sobre cómo satisfacerlo será bien recibido –sonrió–. Mientras tanto... es un placer conocerte, Cindy. Vamos a convertir esta sala en el mejor lugar de la ciudad para casarse... y espero conocer de tu mano los secretos mejor guardados de Nueva York.

–¡Por supuesto! –respondió Cindy con una ancha sonrisa.

–Te dejaré en las expertas manos de Cindy –dijo Zak en un tono tranquilo que contradecía la frustración que lo carcomía por dentro. ¿Cómo se atrevía Emma a lanzarle aquella mirada desdeñosa y altanera?–. Vendré de vez en cuando a echar un vistazo. Cualquier cosa que quieras o necesites pídesela a alguno de mis ayudantes.

Emma debería alegrarse de que Zak se marchara y con él la peligrosa distracción que representaba. Entonces, ¿por qué de repente se sentía tan abatida?

Asintió con la cabeza y trató de responderle con un tono igualmente despreocupado.

–Muy bien. Te veré por aquí.

–Me muero de impaciencia –murmuró él.

Cindy no pareció percatarse de su sarcasmo, igual que tampoco vio el inquietante brillo de sus fríos ojos grises.

Capítulo 7

YA TE HAS decidido, Emma?

Emma parpadeó un par de veces y miró a su ayudante. Por la expresión de Cindy era obvio que le había hecho una pregunta, pero no estaba segura de haberla oído.

–¿Perdona? Estaba... distraída.

–Ya me doy cuenta –repuso Cindy, señalando los inmensos ventanales–. Te preguntaba si ya habías decidido las cortinas. ¿Seda o voile?

Emma intentó concentrarse en las muestras de telas que había en la mesa.

–Me quedo con el lino belga blanquecino. Dejará pasar la luz y le dará un toque muy... –esbozó una débil sonrisa.

Inclinó la cabeza para consultar la larga lista de tareas pendientes mientras se preguntaba qué demonios le estaba sucediendo. Una de las cosas que más le gustaba de su trabajo era sumergirse de lleno en el proyecto que tuviera entre manos. Le fascinaba introducirse en ese otro mundo que creaba a su antojo. De vez en cuando había visto hacerlo a su madre, cuando colocaba cortinas nuevas de saldo en las ventanas del piso alquilado. Uno de los rasgos más admirables de su madre era su firme rechazo a dejarse vencer por la pobreza. Le había enseñado a Emma que no había que gastarse una fortuna para mejorar el entorno vital, y esa motivación por transformarlo todo la había guiado en su carrera profesional hasta el punto de que podía abstraerse de todo cuando estaba inmersa en algún proyecto.

Aquella vez, sin embargo, no era así.

Aquella vez se sentía como si le hubiese picado una abeja y le hubiera provocado una reacción alérgica contra la que no había cura. No podía dejar de pensar en Zak. En el doloroso anhelo que su mirada y su roce habían despertado en ella. ¿Realmente era tan inexperta e ingenua que bastaba un simple e inocente roce para hacerla arder de deseo?

Además le había hablado de Louis, cosa que rara vez hacía con alguien. ¿Por qué? ¿Quizá porque Zak le había hecho las preguntas pertinentes, o tal vez porque era su jefe y como tal ostentaba todo el poder? Fuera como fuera, había surtido efecto.

Por suerte Cindy era lo suficientemente locuaz y dinámica como para advertir los ocasionales silencios de Emma, los cuales solían seguir a las escasas visitas de Zak para ver los progresos en la sala.

Las reformas marchaban sobre ruedas, y Emma estaba comprobando que Nueva York era una ciudad idónea para llevar a cabo un trabajo eficiente y profesional. Estaba descubriendo una faceta completamente distinta de la ciudad donde tantos malos recuerdos había dejado, como las oscuras habitaciones de hotel de las que Louis no salía hasta el mediodía, o cuando se despertaba con el nauseabundo olor de los restos de la cena.

En esa nueva ocasión, en cambio, madrugaba llena

de entusiasmo y energía, se abrigaba contra la fresca brisa otoñal y se iba con Cindy a buscar antigüedades en Broadway y las calles 10 y 12, o a Soho y Chelsea en busca de piezas más modernas. No le costó habituarse al bullicio de la ciudad y a orientarse por sus limpias y anchas avenidas.

Sorprendentemente, no había recibido noticias de Nat salvo un par de mensajes de texto que recibió nada más llegar. No respondía a sus e-mails y cada vez que ella lo llamaba le saltaba el buzón de voz. Todo hacía suponer que había conocido a alguien...

Una mañana estaba sentada en la terraza, tomando notas en la mesa, cuando la distrajo el suave sonido de unas pisadas. Levantó la vista y se encontró con Zak caminando hacia ella.

Profesional, tenía que comportarse como una profesional, se ordenó a sí misma mientras esbozaba una sonrisa cortés que no se correspondía para nada con los frenéticos latidos de su corazón.

–Zak, qué sorpresa...

–Espero que sea una sorpresa agradable –dijo él con su ironía habitual.

Emma se encogió de hombros. ¿Iba a fingir que no se había percatado de su distanciamiento o iba a comportarse como una adulta y aclarar las cosas?

–Bueno, eso depende de ti... Puedes seguir jugando a ser el jefazo que no soporta estar en la misma habitación que yo... o puedes intentar llevarte bien conmigo.

Zak salió a la terraza, donde empezaba a sentirse el frío del invierno a pesar del sol, y miró a Emma antes de sentarse. Llevaba unos vaqueros y una chaqueta, el pelo

recogido en lo alto de la cabeza y ni una gota de maquillaje. Tenía las uñas pintadas de amarillo limón, el
mismo color del pañuelo que llevaba alrededor del cuello. Nunca había visto a una mujer con uñas amarillas.

Retiró una silla de la mesa para sentarse junto a
ella.

–Puede que tengas razón.

Emma le lanzó una mirada fugaz. Iba en mangas
de camisa, seguramente de seda, y el contorno de su
pecho se dibujaba a través del delicado tejido.

–Vas a pillar un resfriado sin una chaqueta.

Zak arqueó las cejas.

–Puede que te sorprenda, pero he sobrevivido treinta
y seis años sin una neumonía.

Emma dejó el bolígrafo sobre el bloc de notas.

–¿Siempre estás a la defensiva?

Zak giró la cabeza para contemplar el parque. No,
no siempre estaba a la defensiva, pero tenía perfectamente demarcadas sus relaciones con las mujeres.
Había mujeres con las que trabajaba y mujeres que
trabajaban para él. Había mujeres con las que tenía relaciones personales, muy pocas, y mujeres con las que
únicamente se acostaba. Nunca había conocido a una
mujer a la que no pudiera tener.

Hasta ese momento.

Intentó disimular su frustración con una sonrisa,
porque la dolorosa verdad era que deseaba a Emma
Geary como nunca había deseado a otra mujer. Sus
imágenes lo acosaban sin descanso, especialmente por
la noche, cuando permanecía desvelado, excitado y
bañado en sudor. A su cuerpo le daba igual que el in-
decente pasado de Emma fuera una ofensa a su orgu-

llo griego, o que estuviese emparejada con su hermano. Cada vez que pensaba en sus cabellos rubios y sus ojos verdes, o en sus uñas pintadas arañándole la piel, experimentaba un ardor tan ferviente que ni siquiera las duchas heladas podían apagar.

–Sacas lo peor de mí, Emma.

–¿Y eso por qué? ¿Quizá porque no soy lo bastante dócil para aceptar incondicionalmente tu autoridad?

Zak volvió a mirarla.

–En parte sí. No estoy acostumbrado a tu insolencia.

–¿Quieres decir que las mujeres no te suelen plantar cara?

–No sienten la necesidad de hacerlo.

–Supongo que porque siempre tienes la razón, ¿no?

–Es algo más complejo que eso. ¿No sabes que, en el fondo, todas las mujeres ansían estar con un hombre dominante?

Emma sacudió la cabeza, agradecida por el viento que le enfriaba las mejillas. Cuando Zak la miraba de aquella manera era difícil, por no decir imposible, no estar de acuerdo con él incluso cuando soltaba aquellas tonterías propias de un machismo anacrónico.

–Debes de moverte en unos círculos muy extraños para pensar así, Zak.

–Posiblemente –se recostó en la silla y contempló los árboles deshojados del parque. Pronto llegaría el invierno y la temporada navideña. El gran árbol se encendería en el Rockefeller Center y los turistas y neoyorquinos patinarían sobre hielo en la pista habilitada bajo sus luces. Emma acabaría el encargo y regresaría a Londres... y a Nat, si el plan de Zak fallaba. ¿Qué pasaría entonces si, a pesar de su intervención, Emma acababa casándose con su hermano?

Siempre había cuidado de Nat, pero a veces las circunstancias escapaban a su control. Por mucho que lo intentara, no siempre podía influir en el resultado. Como cuando su padre los abandonó y él vio a su madre llorando en el suelo de mármol...

De repente lo asaltó una imagen, inquietantemente clara y definida, de Emma como la mujer de Nat, con sus largos cabellos rubios meciéndose al viento. La imagen se hizo aún más nítida al imaginarse su vestido, largo y vaporoso, como los que llevaban las jóvenes extranjeras que iban a Grecia, y sus pies descalzos con el azul del Mediterráneo tras ella. Tal vez le daría a Nat un montón de hijos que, al igual que ella, formarían parte de la familia y estarían para siempre vinculados a él. Y si así fuera, no tendría más remedio que fulminar radicalmente su deseo... o arriesgarse a perder la relación con su único hermano.

Por tanto, y en previsión de lo peor que pudiera ocurrir, tal vez fuese conveniente hacer una tregua.

–¿Has visto mucho de la ciudad?

Emma asintió, sorprendida por la pregunta.

–La verdad es que sí –había decidido emplear su tiempo libre en explorar una ciudad de la que apenas había visto nada la última vez que estuvo allí.

Se había subido a un autobús turístico y se había reído con los comentarios del vocinglero chófer al pasar junto a los edificios más emblemáticos. Había visitado todas las galerías de arte y cada día daba un paseo por Central Park. También había tomado el ferry hasta Staten Island, donde se comió un perrito caliente tan largo como su brazo.

—He visto todo lo que hay que ver.

Zak cedió a la tentación de observarla y desvió la vista del parque.

—Entonces, ¿no puedo persuadirte para que cenes conmigo esta noche?

Emma apretó con fuerza el bolígrafo que aún estaba sosteniendo.

—¿Y por qué habría de querer cenar contigo? O mejor dicho, ¿por qué querrías tú cenar conmigo?

Zak no pudo evitar una sonrisa por su franqueza.

—Puede que haya decidido que deba conocerte mejor, por si acaso ¿no funciona mi diabólico plan y acabes convirtiéndote en mi cuñada.

Emma se metió el boli en el bolsillo de la chaqueta. La sonrisa de Zak humanizaba su aspecto de tal modo que sintió el absurdo deseo de trazar la curva de sus labios con el dedo.

La invadió un terrible sentimiento de culpa y supo que era el momento de sincerarse con él y confesarle que todo era un juego, que no había nada más que una amistad entre su hermano y ella. Pero algo se lo impedía, tal vez el miedo a su reacción... o la necesidad de advertir a Nat en primer lugar.

Y si no se lo decía, tampoco habría motivos para rechazar una invitación que sonaba a una sincera oferta de paz.

—¿Qué clase de cena? —preguntó con desconfianza.

—No hace falta que pongas esa cara de espanto. No se trata de una cena íntima con velas. Tengo que asistir a una fiesta en la otra parte de la ciudad y he pensado que podrías ser mi acompañante, si te apetece.

¿Qué podía responder? ¿Que la aterraba la idea de acompañarlo a cualquier sitio por lo vulnerable que la hacía sentirse?

–Está bien –respondió con cautela.

–¿Está bien? –repitió él, entornando la mirada–. ¿Eso es todo? He recibido respuestas más entusiásticas de una heladera.

–¿Tienes costumbre de invitar a cenar a una heladera?

–Muy graciosa.

–Hago lo que puedo –intentó calmar los frenéticos latidos de su corazón, pero no había nada que hacer: el humor era tan embriagador como un buen licor–. ¿Hay que vestir de etiqueta?

–Sí. Esmoquin y vestido largo. Pediré un coche. Nos veremos en el vestíbulo a las ocho.

–De acuerdo.

A Emma le seguía latiendo desbocadamente el corazón mientras buscaba en su armario algo que ponerse para la cena. No encontró nada apropiado, y al cabo de media hora estaba caminando por las atestadas aceras de Madison Avenue. Las tiendas estaban repletas del tipo de prendas negras y discretas que normalmente elegiría, pero sus ojos se posaron en un vestido blanco de seda, largo y elegantemente plisado. No necesitó que la amable vendedora la engatusara para comprárselo, pero cuando dos horas después se lo puso en su habitación empezó a tener dudas. ¿No sería demasiado atrevido? ¿Le estaría mandando a Zak un mensaje equivocado con tanta piel al descubierto?

La expresión de Zak al verla en el vestíbulo la puso aún más nerviosa.

–¿No es lo bastante apropiado? –le preguntó en tono inseguro.

¿Apropiado? A Zak se le secó la garganta al recorrerla con la mirada. El vestido blanco dejaba los brazos al descubierto y se ceñía a sus pechos y caderas en su caída hasta el suelo. Su larga melena rubia se deslizaba sobre sus hombros como un torrente líquido de luz dorada. Era la viva imagen de una diosa griega... Una estatua hecha carne por una sola noche.

–Sí, sí lo es –respondió con una voz extraña mientras la llevaba hacia el coche–. Pero me temo que habré de pasarme toda la velada haciendo de guardaespaldas.

Ella lo miró con las cejas arqueadas.

–Puede que sea yo quien tenga que hacer de guardaespaldas, conociendo tu reputación con las mujeres...

–¿De verdad te crees capaz de ahuyentarlas, Emma?

–Puedo intentarlo –respondió ella, mirándolo desafiantemente a los ojos.

Cruzó la pierna y Zak intentó no fijarse en la blanca seda pegada a un muslo perfectamente moldeado.

–En ese caso, será mejor que avise a todas las mujeres que esta noche se mantengan a distancia.

Su tono, pausado y sensual, le provocó un intenso hormigueo en los pechos y a punto estuvo de decirle a Zak que no fuera tan amable con ella. O más bien, que dejara de coquetear con ella.

Aquello era una locura. ¿Cómo iba a resistir toda la velada junto a un hombre que la hacía arder de deseo?

–¿Quién da la fiesta? –preguntó para cambiar de tema.

Zak tuvo que hacer un enorme esfuerzo para apartar la mirada de los pezones que se adivinaban bajo la seda blanca.

–Un viejo amigo de mi padre. Su nieta, Sofía, cumple veintiún años y quieren celebrar su mayoría de edad.

Emma asintió y recordó algo que Nat le había dicho.

–Nat me dijo que tu padre murió el año pasado. Lo... lo siento, Zak.

Zak guardó unos segundos de silencio, molesto por no poder controlar la información que su hermano le hubiese facilitado a Emma, quien seguramente ya sabía más sobre él que la mayoría de las personas. ¿Cuánto le habría contado Nat?

–Gracias –respondió secamente.

–Tengo entendido que estuvo mucho tiempo enfermo.

Aquello respondía a su pregunta. Le había contado mucho. Más de lo que él quería que supiera.

–Gracias otra vez.

Su tono no daba pie a seguir hablando del tema, de modo que Emma se puso a mirar por la ventanilla mientras atravesaban la ciudad. Finalmente se detuvieron frente a un fastuoso hotel, con una entrada en forma de arco engalanada con flores blancas y rosas.

Zak soltó una exclamación de disgusto al ver a los reporteros apostados con las cámaras preparadas, pero Emma estaba acostumbrada a aquel tipo de situaciones y sabía lo que había que hacer. Inclinó la cabeza para que el pelo le ocultase el rostro y entró en el edificio antes de que los flashes pudieran capturar su rostro. Al volverse hacia Zak se lo encontró riendo.

–Es la primera vez que una mujer evita que la fotografíen conmigo.

–¿Crees que quiero que me vean contigo?

–No lo había pensado –dijo él, aunque la modestia y el rechazo de Emma a llamar la atención lo complacían bastante. Tal vez no fuera una mala opción para su hermano, si podía hacerlo feliz.

La llevó al gran salón de baile donde se celebraba la fiesta. Estaba lleno de las mismas rosas que habían visto en la entrada, y había también globos y almendras garrapiñadas por doquier. Todo resultaba un poco cursi, pero muy apropiado para la chica delgada y morena con un vestido rosa de voile que se acercó corriendo y se lanzó a los brazos de Zak.

–¡*Thios* Zakharias! –exclamó con entusiasmo–. ¡Cuánto me alegro de que hayas venido! ¡Y gracias por los pendientes!

–¿Te gustan? –le preguntó Zak con una sonrisa.

–¡Me encantan! ¡Los llevo puestos! –se apartó la espesa melena negra para revelar dos pendientes de perlas–. Ven a tomar una copa. El abuelo y mamá están por ahí. Ah, y ahí está Loukas... ¡Tengo que ir a saludarlo!

Emma se sintió un poco cohibida en medio de una fiesta tan concurrida y animada, donde todo el mundo reía y hablaba en un griego incomprensible.

–Parece que todo el mundo lo está pasando muy bien –comentó.

–Si hay algo que los griegos saben hacer, es divertirse en una fiesta.

La afirmación de Zak tranquilizó a Emma y los dos empezaron a disfrutar de la fiesta. Él le presentó a mucha gente antes de la cena y ella intentó recordar los nombres mientras la observaban con indisimulada curiosidad. Además le explicó la historia de los platos que les sirvieron, ya que, según él, «en Grecia hay una historia para todo», y la entretuvo con las anécdotas sobre el abuelo de Sofía, quien abandonó su isla griega en busca de fortuna y regresó siendo millonario.

Era la primera vez que Emma podía disfrutar realmente de su encanto, y la verdad era que le resultaba tremendamente excitante. Pero cuando la banda de música empezó a tocar se sintió incómoda, porque todas las parejas se levantaron para bailar y ellos dos se quedaron a solas en la mesa.

–Por tu cara, parece que el mundo vaya a acabarse dentro de cinco minutos –observó Zak.

Emma se encogió de hombros, intentando aislarse de la música.

–Hay mucho ruido...

–Podríamos probar a gritar para hacernos oír... o simplemente marcharnos. Ya hemos cumplido con nuestro deber.

Un deber cumplido... Así era como Zak consideraba aquella velada. Emma observó sus duros rasgos y, tal vez por la música o por el vino, sintió la irresistible tentación de bailar con él sin importarle las alarmas que sonaban en su cabeza.

–Hay otra opción –dijo, señalando la pista de baile–. Podríamos bailar.

A Zak se le tensaron todos los músculos. Ya había sido bastante malo tener que reprimirse al verla con su vestido blanco para no mirar sus generosos pechos. Pero bailar con ella sería una locura. Una completa locura.

Había un millón de razones por las que no deberían hacerlo. Sin embargo, la sola idea de tenerla en sus brazos las barría de un plumazo. Al fin y al cabo, ¿qué daño podía hacer un baile?

–Vamos a ello –murmuró mientras se levantaba.

Emma aceptó la mano que le ofrecía y lo siguió a la pista de baile, pero solo cuando estuvo ante él se percató realmente de lo alto que era. La sensación de sus manos en la cintura la hacía sentirse diminuta, y con la nariz apenas le llegaba al hombro. A aquella distancia su olor a sándalo y calor viril la invadía con una intensidad embriagadora.

Las notas de un extraño instrumento que Emma jamás había oído se elevaban hipnóticamente sobre el resto.

–Me encanta ese sonido.

–¿El bouzouki? A mí también me gusta. Mucha gente piensa que es demasiado sensiblero, pero es un instrumento tradicional griego.

Tan griego como él, pensó Emma mientras extendía las palmas sobre sus hombros y sus cuerpos se movían perfectamente acompasados.

Zak sintió el sensual contoneo de sus caderas y el roce de sus cabellos sedosos contra la mejilla. Emma bailaba de ensueño, pensó mientras cerraba los ojos. Lógico. Su madre le había enseñado a hacerlo.

De repente comprendió que un hombre pudiera volverse loco de deseo con solo mirarla, como le había ocurrido a una vieja estrella del rock. Se estaba excitando de tal manera que apenas podía moverse sin delatar su estado, y la dolorosa erección le hizo torcer la boca en un gesto de disgusto consigo mismo. ¿Qué clase de hombre se excitaría con la novia de su hermano hasta el punto de querer violarla en algún rincón oscuro con la música de fondo?

Tenía que poner fin a aquella locura. Era absurdo pensar que podía bailar con ella sin excitarse. Apartó bruscamente las manos de su cintura y agachó la cabeza para hablarle al oído.

–Vámonos.

–¿Irnos? Pero si apenas hemos bailado...

Y en aquel instante, todo el disimulo que Zak había estado manteniendo y todas las defensas que había erigido se derrumbaron como un castillo de naipes, y su ardiente deseo se transformó en una ira abrasadora.

–No sé si eres una ingenua o una mentirosa, Emma, pero no podemos seguir con esto. Todo este disparatado flirteo, estos roces, esta continua negación de lo que ambos queremos... Está mal. Los dos sabemos que está mal. Y si seguimos así llegará un momento en el que seamos incapaces de detenernos. Para ti puede ser aceptable estar con dos hombres, pero para mí no lo es. Puede que te desee, pero no puedo tenerte. Y si quieres saber la verdad, hay una parte de mí que desprecia tu belleza de sirena y el hechizo que has tejido en torno a mi pobre e incauto hermano.

La acusación de Zak la traspasó como una cuchilla envenenada. Supo entonces que tenía que decírselo. Debería habérselo dicho mucho tiempo antes.

–Te equivocas, Zak... –balbuceó–. No hay nada entre Nat y yo, y nunca lo ha habido.

–¿De qué demonios estás hablando?

–Solo somos buenos amigos –las palabras se le agolpaban en los labios al querer expresarlo todo a la vez–. Te seguí el juego porque a Nat le pareció una buena manera de que lo dejaras en paz una temporada. Estaba harto de que siempre jugaras a ser el hermano controlador, y pensó que para mí sería una buena oportunidad venir a Nueva York. Eso es todo.

–¿Eso es todo? –a Zak empezaron a palpitarle las sienes a medida que asimilaba lo que acaban de oír.

Había soportado días y noches de remordimiento y frustración, ¿y ella creía poder zanjar la historia con un simple «eso es todo»?

–Nos vamos –espetó. La agarró por la muñeca y la sacó de la pista de baile ante la sorprendida mirada del resto de invitados.

Emma agarró el bolso de la silla y lanzó una mirada a su pétreo perfil mientras se dirigían hacia la salida.

–¿Zak?

–Cállate –masculló él.

Le hizo un gesto al conserje para que llevara el coche a la puerta y salieron del hotel para enfrentarse a las cámaras de los paparazzi.

Capítulo 8

ZAK? –lo llamó Emma por segunda vez cuando la limusina se puso en marcha.

–Cállate –volvió a espetar él.

Emma se quedó muy quieta y callada. No podía hacer otra cosa sino obedecerle. Podría bajarse del coche cuando se detuvieran en un semáforo y echar a correr por la calle hasta encontrar un taxi. Pero aquello solo serviría para empeorar el patético melodrama.

Aferró con fuerza su pequeño bolso dorado y se dejó invadir por una creciente frustración.

¿Por qué demonios no le había contado antes la verdad? Desde el principio supo que había química entre ellos y que ambos se habían resistido a la indeseada atracción física, hasta que en el baile fue imposible seguir ocultándola ni reprimiéndola. El resultado era que Zak estaba furioso con ella. Más de lo que nunca había visto a nadie.

La limusina se detuvo frente al hotel y Emma pensó que Zak iba a salir sin esperarla, pero él la llevó hasta el ascensor y apretó el botón con más fuerza de la necesaria. Dentro del ascensor apenas se podía respirar por la tensión, hasta que Zak explotó y le clavó una mirada iracunda.

–¿Por qué lo hiciste? –le exigió saber en voz baja

y amenazadora–. ¿Por qué me mentiste acerca de tu relación con mi hermano cuando sabías, igual que yo, que la atracción no ha dejado de crecer entre nosotros? ¿O quizá era eso lo que te excitaba? ¿Es esto lo que haces con los hombres, Emma? ¿Los torturas con el deseo hasta que pierden la cabeza? ¿Te divierte verme sufrir?

–¡Pues claro que no!

–Entonces ¿por qué tantas mentiras? ¿Por qué no has sido sincera conmigo?

Emma sacudió la cabeza. No estaba lista para decirle que se había sentido demasiado vulnerable para confesarle la verdad. Tenía miedo de lo que sentía por él y de las posibles consecuencias. Y lo seguía teniendo. Su madre se había equivocado una vez tras otra con los hombres. Y el desastroso matrimonio de Emma demostraba su tendencia innata a cometer los mismos errores que ella.

–Porque nunca encontraba el momento –respondió–. Y porque le prometí a Nat que te apartaría de él.

–¡Si Nat quisiera que lo dejara en paz habría tenido las agallas de decírmelo él mismo! –exclamó, antes de percatarse de lo estúpido que había sido. Si Nat hubiese estado realmente enamorado de Emma, por nada del mundo habría permitido que la trasladaran a medio mundo de distancia.

¿Por qué no se había dado cuenta antes?

Porque, como siempre, había estado demasiado ocupado intentando manejar los hilos. Su necesidad de controlarlo todo se había convertido en una obsesión, pero era necesario para proteger a su familia. Cuando la nueva esposa de su padre dilapidó la for-

tuna de los Constantinides y su madre cayó enferma...
¿no fue a él al quien todos recurrieron?

Miró a Emma. Había pensado dejarla en su habitación y retirarse a la suya, a emborracharse para olvidar
lo idiota que había sido. Pero entonces se fijó en el
vestido blanco que ocultaba aquellas curvas tan ape-
titosas y pensó: «¿qué demonios?».

Las puertas del ascensor se abrieron en el piso de
Emma y ella se dispuso a salir, pero él la agarró por
la muñeca y tiró de ella hacia atrás.

—¿Qué haces?

—Vamos a dejarnos de juegos, ¿de acuerdo? Voy a
hacer lo que llevas queriendo que haga toda la noche.
Voy a besarte, Emma. Voy a besarte hasta que no sepas dónde acaba tu boca y empieza la mía... y después
voy a hacerte el amor. A menos, claro, que no quieras
que lo haga... —la expresión de sus ojos y el temblor
de sus labios fueron la confirmación que necesitaba—.
Y puedo ver que lo deseas tanto como yo —pulsó el
botón de la planta 34. Lo has deseado desde que nos
vimos por primera vez. Igual que yo. Lo hemos disi-
mulado hasta ahora, pero eso se acabó. Vamos a hacerlo.

Se quedó sin palabras y sin excusas, y a pesar del
desprecio que sentía por su propia debilidad, pegó su
boca a la de Emma en un beso largamente deseado y
reprimido.

Emma se balanceó al recibir la furiosa acometida
de sus labios, y se sorprendió cuando los suyos res-
pondieron con una avidez semejante. ¿Estaría bien o
mal hacer eso? No lo sabía, y en esos momentos poco
le importaba. No había otra alternativa. La idea de pa-

sar el resto de su vida sin que la besara, sin experimentar lo que estaba sintiendo, se le antojaba horriblemente vacía.

Cerró los ojos mientras las manos de Zak se exten-
dían posesivamente sobre la piel desnuda de su espalda. Era como si todo su cuerpo se derritiera y el
maldito vestido le estuviese abrasando la piel. Necesitaba que la tocase sin ningún obstáculo por medio.
La sensación era tan intensa, tan poderosa, que las rodillas amenazaban con cederle.

Pero aunque su cuerpo estuviera en llamas, a una
parte de ella le costaba creer que aquello estuviese pasando de verdad. Nunca había experimentado aquella
sensación. Ni con Louis ni con nadie. Había pensado
que era por su culpa, ya que era la típica acusación que
los hombres escupían a las mujeres cuando ellas no
podían... excitarlos debidamente.

El ascensor se detuvo y las puertas se abrieron para
revelar a una pareja elegantemente vestida que los miraba con asombro.

–Buenas noches –los saludó Zak cortésmente
mientras agarraba a Emma de la mano y pasaba junto
a ellos.

–¿Has visto lo que estaban haciendo, Earl? –oyó
Emma que la mujer le preguntaba al hombre.

–Claro que lo he visto –respondió Earl en un inconfundible tono de envidia.

A Emma le ardían las mejillas y el corazón le latía
desbocado cuando llegaron a la suite de Zak. Estaba
demasiado nerviosa y excitada para prestar atención
al amplio y lujoso ático.

–No voy a ofrecerte una copa –dijo él–. Porque los

dos sabemos que no estamos aquí para beber. Se acabaron los engaños y disimulos por esta noche, Emma. ¿Lo has entendido?

–Sí.

–Esta noche vamos a ser completamente sinceros el uno con el otro. Vas a decirme exactamente lo que quieres, y yo voy a dártelo.

Sus palabras la emocionaron y asustaron al mismo tiempo, porque ¿cómo iba a saber ella lo que quería? ¿Cómo podía decirle que no tenía ni idea? Los nervios amenazaron con bloquearla, pero entonces Zak la estrechó en sus brazos y la rozó ligeramente con los labios hasta hacerla estremecerse.

–Zak... –murmuró mientras él le hacía abrir los labios con la lengua.

–Dime... ¿qué quieres, Emma?

–Quiero... –la voz se le apagó. ¿Cómo podía expresar lo que hasta ese momento solo había sido una fantasía?

–¿Esto, quizá? –llevó la mano hasta su pecho y le acarició el pezón en círculos.

Emma se estremeció de excitación e intentó tragar saliva, pero se le había secado la garganta.

–Sí...

–Y... esto... –bajó la mano hasta su vientre y movió hábilmente los dedos sobre la fina tela del vestido. Siguió descendiendo hacia la entrepierna, se detuvo un momento en el pubis e ignoró el gemido de protesta cuando continuó hasta el muslo.

–Zak... –murmuró ella con la voz rota y los ojos cerrados, temiendo que fuera a derrumbarse en la alfombra y poner de manifiesto su inexperiencia.

Zak la recorrió con la mirada mientras ella se aferraba a él. El corazón le latía con una excitación que no había sentido en mucho, muchísimo tiempo. Y era obvio que Emma estaba tan excitada como él. Lo suficiente para hacerlo allí mismo, sobre la alfombra. Una parte de él estaba tan furioso por el engaño que quería poseerla lo más rápidamente posible y luego librarse de ella.

Pero aunque no hacía ni un mes que la conocía, no recordaba haber sentido nada igual. El deseo era tan fuerte que moriría de frustración si no la hacía suya. Tal vez fuera la tentación acumulada durante todo ese tiempo que la había creído inaccesible. ¿Acaso no decían que no había nada más dulce que el fruto de lo prohibido?

Sin embargo, algo mucho más peligroso que ceder a la tentación prohibida... No quería hacerlo de una manera rápida y frenética. No quería bajarse la cremallera y penetrarla sin más. Si solo iban a hacerlo una vez, quería que durase toda la noche. Una noche única e inolvidable.

La levantó en brazos sin el menor esfuerzo y se deleitó con su gemido de satisfacción. Emma podía afirmar que a las mujeres no les gustaban los hombres dominantes, pero iba a descubrir que estaba equivocada...

La llevó al dormitorio y la dejó en el suelo, sobre sus altos tacones.

—Quítate los zapatos —le ordenó.

Emma obedeció sin pensar, pero cuando se quedó sin los centímetros extra de sus tacones dorados volvió a invadirla una terrible sensación de vulnerabilidad.

–¿El vestido es nuevo?

–Sí.

–Así que lo has comprado especialmente para mí... Interesante. ¿Es caro?

Ella se encogió tímidamente de hombros. ¿Habría hecho el ridículo al comprarse un vestido nuevo para lo que se suponía que iba a ser una cita inocente? ¿Parecería que había estado esperando que algo sucediera?

–Bastante.

–Recuérdame que te compre otro.

Se lo quitó ávidamente y lo echó al suelo sin el menor miramiento, donde formó un charco de seda blanca. A continuación se quitó la chaqueta y la tiró junto al vestido, negro contra blanco, un contraste tan fuerte como el de su piel morena contra la pálida tez de Emma.

–Ahora, bájame la cremallera.

Su tono sensual y autoritario llenó a Emma con una impaciencia desconocida hasta entonces. Con dedos torpes y temblorosos le bajó la cremallera, que se estiraba contra el bulto de la erección. Un gemido de satisfacción por parte de Zak acompañó la liberación del miembro erecto, pero él la detuvo cuando ella se dispuso a acariciarlo a través de los calzoncillos negros.

–No... Ahora no. Desabróchame la camisa y déjame a mí el resto.

«¿Ahora no?». ¿A qué se refería? No tuvo tiempo para pensar ni para hacer nada, porque Zak se quitó los zapatos y los calcetines y se desprendió de los pantalones mientras ella intentaba desabrocharle los botones de la camisa.

Zak le recorrió el costado con la mano, como si la

estuviera conociendo a través del tacto, y Emma fue repentinamente consciente de que los dos se habían quedado en ropa interior. Estaba ante él sin nada más que las braguitas y el sujetador, y muy pronto llegarían al punto donde todo se desmoronaba sin remedio, como ya le había ocurrido en el pasado. ¿Volcaría Zak su ira y su frustración en ella?

–¿Y ese rubor? –le preguntó él, acariciándole la barbilla.

–Todo ha sido muy... repentino. Muy... rápido.

–Si quieres que vaya despacio, no creo que pueda –le dijo él–. ¿Qué quieres de mí, Emma?

–Solo quiero...

No sabía cómo expresarse. Tenía que avisarle que todo podía salir mal, pero ¿y si la advertencia lo detenía?

–Solo quiero que seas tú –le dijo, hablándole directamente del corazón con las palabras que el deseo por aquel hombre le inspiraba.

–Vaya... ¿ahora sí? –le costaba creer que Emma no viera la ironía en lo que acababa de pedirle, después de haberlo tenido engañado tanto tiempo.

Volvió a sentir un arrebato de ira, pero lo sofocó rápidamente y se concentró en desnudarla. La ira no le permitiría disfrutar del momento. Y si estaba seguro de algo era que quería disfrutar de ella.

Le desabrochó el sujetador, minúsculo y sin tirantes, y no pudo contener un murmullo de apreciación al contemplar sus pechos, grandes y turgentes. Bajó la mirada al diminuto tanga de color blanco y lo deslizó sobre los muslos, antes de quitarse los calzoncillos.

Ambos quedaron desnudos frente a frente, como tantas y tantas veces se había imaginado.

–¿Deseas esto? –le preguntó, rodeándola con los brazos. No quería que tuviese dudas ni que nada los detuviera.

–Sí.

Zak emitió un débil gemido y la tumbó en la cama, piel contra piel, mientras entrelazaba los dedos en su rubia melena.

–Emma... He soñado con esto noche tras noche... Ha sido mi fantasía prohibida, y por fin se hará realidad...

La besó en los labios, en el cuello y en los lóbulos de las orejas, hasta hacerla emitir pequeños ruiditos con la garganta. Entonces bajó con los labios hasta sus pechos y lamió a conciencia un pezón mientras llevaba la mano hacia la suave mata de vello púbico.

–¡Zak! –exclamó ella con voz ahogada, pero todos los escrúpulos y temores desaparecieron ante la pericia que mostraban los dedos de Zak. El placer la inundaba en una ola tras ola. Algo le hizo hincarle las uñas en la espalda, como una imperiosa necesidad de recibir más, de experimentar más, de tener a Zak lo más cerca posible y ver si en aquella ocasión...

–Por favor –le suplicó entre jadeos.

Zak la soltó brevemente y hurgó a tientas en el cajón de la mesita de noche hasta encontrar lo que estaba buscando. No recordaba haber tenido nunca tantas dificultades para ponerse un preservativo, y no lo ayudaba que Emma le estuviese dando besos rápidos y apremiantes en los hombros. Pero cuando finalmente lo consiguió, permaneció unos segundos sobre ella, saboreando los últimos instantes pegado a su calor y humedad, antes de penetrarla con una fuerte y profunda embestida.

El grito de Emma no se pareció a nada que hubiese oído antes. Más que un gemido de placer era una exclamación de... ¿sorpresa? Se quedó inmóvil al sentir cómo se ponía rígida.

–¿Emma? –la miró con perplejidad, pero ella había cerrado los ojos y había levantado la barbilla, como una flor buscando el sol–. ¿Emma? –volvió a llamarla.

–Hazme el amor, Zak –le pidió ella fervientemente–. Por favor...

El desconcierto de Zak se disolvió con aquel ruego. Empezó a moverse de nuevo y empujó hasta el fondo de su calor líquido, hasta que los cuerpos encontraron su ritmo. Emma estaba apretada, demasiado apretada, pensó Zak mientras intensificaba el beso. Más que cualquier otra mujer que hubiese conocido.

En cuanto a él, nunca le había costado tanto contener la eyaculación. Se sentía como un adolescente en su primera vez. Como si nunca hubiese estado con otra mujer antes que ella. Se moría por vaciarse dentro de ella, pero consiguió aguantar hasta oír el cambio en su respiración y sentir como se tensaba, arqueaba y explotaba. Solo entonces dejó escapar su semilla en un orgasmo incomparable, enloquecedor, que lo transportó en una frenética espiral a una nueva dimensión del placer.

La agarró con fuerza y enterró la boca en sus sedosos cabellos. Durante unos instantes no se escuchó otra cosa que sus respiraciones entrecortadas, y Zak acarició la idea de dormirse con aquella sensación.

Pero no había llegado tan lejos en la vida ignorando las obviedades. Se giró de costado y miró fijamente a Emma a los ojos.

–Dime, Emma... ¿era alguna especie de juego erótico para aumentar el placer... o es posible que fueras virgen?

Capítulo 9

TÉCNICAMENTE, supongo que lo era.

–¿Técnicamente? ¿De qué demonios estás hablando? O eres virgen o no lo eres.

Emma sintió como todo el placer se evaporaba ante la furiosa mirada de Zak. El acto había sido increíble, como nunca se había atrevido a soñar, y lo único que quería era permanecer allí tumbada y revivirlo segundo a segundo... Pero Zak estaba decidido a estropearlo con un interrogatorio implacable.

–¿Tenemos que hablar de esto ahora?

–¡Pues claro que sí! –explotó él. Se sentía como si Emma hubiera vuelto a engañarlo. Le revelaba un secreto al confesarle la verdad sobre Nat y le ocultaba otro. ¿Cuántos secretos tendría aquella mujer?–. ¿Cuándo quieres hablarlo si no? ¿Prefieres hacerlo cuando estés colgando las cortinas, con Cindy poniendo la oreja?

–¡Por supuesto que no!

–¡Pues empieza a hablar!

–No hay nada que contar... –dijo ella con voz cansada–. Salvo que mi matrimonio no llegó a consumarse.

–Pero Louis Patterson era famoso por ser un dios del sexo.

–También era un drogadicto y un alcohólico –lo

miró a los ojos y consiguió contener las lágrimas. No iba a humillarse todavía más–. ¿Puedes deducirlo tú solo, Zak, o tengo que explicártelo?

Zak guardó silencio unos momentos.

–¿Era impotente?

Emma asintió con un nudo en la garganta. Todos los libros de medicina que había consultado le confirmaron que la impotencia era normal en los drogadictos, pero eso no impidió que se sintiera una fracasada. Como si, de alguna manera, fuese culpa suya. Si hubiera sido más fuerte habría podido mantener a su marido alejado de las drogas y la bebida. Y si hubiera sido más atractiva, él habría consumado el matrimonio. Pero Louis le había echado la culpa a ella, asegurándole que nunca había tenido problemas con ninguna mujer.

–Sí –respondió honestamente–. Lo era.

Zak volvió a guardar silencio mientras sacudía la cabeza. Se sentía como si hubiera abierto los postigos y se encontrara con el negro cielo nocturno.

–No puedo creerlo.

–¿Es un crimen ser virgen, Zak?

–No digas tonterías –le miró las uñas doradas, reluciendo contra el edredón blanco. Aquella mujer era un cúmulo de contradicciones. Bajo su belleza de sirena se escondía una inocencia que lo había conmocionado profundamente–. Nunca habría pensado eso de ti. O no se te ocurrió decírmelo o decidiste no decírmelo, pero en cualquier caso me habría gustado saberlo, Emma. Tenía derecho a elegir si quería arrebatarte la virginidad o no. ¿Por qué yo? ¿Y por qué ahora?

La euforia posterior al orgasmo se había desvanecido sin dejar rastro. Emma se estremeció y tiró del arrugado edredón para cubrirse. Tal vez se había equivocado al no decírselo, pero había temido que por algún sentido absurdo del honor Zak no hubiese querido hacer el amor con ella. Y entonces ella habría querido morir.

–¿Por qué tú? Seguro que no te hace falta que te lo diga. Eres un hombre de gran carisma y atractivo, Zak. No he podido resistirme.

–¿Nunca ha habido nadie más? –le preguntó él con evidente escepticismo.

–Nunca.

Su experiencia con Louis la había convencido de que los hombres no merecían la pena, algo que ya sospechaba viendo cómo se rebajaba su madre por ellos. Louis la había hecho sentirse inútil y fracasada, pero en cierto modo había sido un alivio creerse frígida. De esa manera se ahorraría muchas decepciones con el género masculino.

No le había costado mantener las distancias con los hombres... hasta el día que entró en el despacho de Zak. Desde aquel momento sus sentimientos solo le habían dado problemas.

–Creía que tenía un problema... Que tal vez fuera frígida.

–¿Y acabas de descubrir que no lo eres? –soltó una breve carcajada–. Es la primera vez en mi vida que me siento como un semental al que hayan usado para demostrar algo... y no estoy seguro de que me guste.

Otra acusación que añadir a la creciente lista de quejas sobre ella... Pero Emma no entendía por qué le molestaba tanto. Al fin y al cabo no había sido una seducción pausada y romántica a la luz de las velas. No había sido más que sexo, salvaje y frenético, provocado por una explosiva mezcla de ira y lujuria, y para un hombre como Zak debía de ser un alivio.

–Está bien, fue un error y no deberíamos haberlo hecho –dijo, desplazándose hacia el lado de la cama–. Me iré y así podremos olvidar que esto ha pasado.

–¡No quiero que te vayas a ninguna parte!

–No te sientas en la obligación de disimular tu disgusto para hacerme sentir mejor.

Zak se estiró para agarrarla. El edredón cayó y dejó a la vista la suculenta vista de sus pechos.

–No estoy disimulando nada. Y te puedo asegurar que lo último que estoy es disgustado.

Emma permitió que tirase de ella, odiándose a sí misma por no ser capaz de resistirse cuando la miraba de aquel modo.

–¿De verdad?

–Sí. Solo estoy un poco sorprendido por el descubrimiento, pero espero que... –se calló y empezó a besarle la suave piel del brazo.

Emma intentó no cerrar los ojos.

–¿Qué... qué esperas?

Zak reconoció la duda en su voz y se sintió furioso por todo lo que Emma había tenido que soportar. Primero una madre sin escrúpulos que la había obligado a casarse siendo una cría. Y luego un yonqui impotente y desconsiderado que la había hecho creer que era frígida. Lo último que necesitaba era que él se comportase como un bruto.

–Espero que hayas disfrutado... después de una espera tan larga.

Emma no supo qué pensar. ¿Se estaría compadeciendo de ella, o la veía como una especie de chiflada por haber esperado veintinueve años para perder la virginidad?

–¿Qué quieres, que te puntúe de uno a diez?

–No –se rio y tiró de ella–. Nunca he necesitado que me puntúen.

Seguramente porque conseguiría la máxima puntuación después de cada actuación, pensó ella. Intentó aferrarse a una indignación bastante justificada, pero no era fácil. Zak la estaba besando en la curva de la mandíbula, y ella nunca hubiera creído que aquella zona pudiera ser tan erógena. Impulsada por un deseo incontenible, le echó los brazos al cuello y acercó el rostro al suyo.

–Zak.

–Shhh... –levantó la cabeza y la besó ligeramente en los labios. Tal vez no pudiera ofrecerle más que un placer puramente sexual, pero al menos la ayudaría a sentirse joven, sana y deseable–. La segunda vez puede ser mejor.

–¿Mejor?

–Mucho mejor. Más despacio y...

–¡Zak!

–¿Mmm?

–¿Qué... qué haces?

Zak volvió a levantar la cabeza, justo por debajo del vientre, y a Emma le dio un vuelco el corazón al ver el brillo de sus ojos.

–Voy a acariciarte donde les gusta a todas las mujeres. Me resultará un poco difícil hablar, así que discúlpame si no respondo a tus preguntas durante los próximos minutos.

Emma abrió la boca para criticarle que hablase de los gustos de otras mujeres en un momento como aquel, pero entonces él enterró la cara entre sus muslos y el único sonido que pudo emitir fue un gemido de asombro y placer como nunca había sentido. La estaba besando justo allí...

Todas sus inhibiciones se derritieron como ante el toque mágico de la portentosa lengua de Zak. Por unos breves instantes no pudo creerse que aquello fuese realidad, que ella, Emma Geary, estuviera retorciéndose de placer mientras su jefe la besaba y lamía en la zona más íntima de su cuerpo, como si se estuviera dando un festín con ella.

El segundo orgasmo la sorprendió casi tanto como el primero, pues no se había esperado ninguno de los dos. De repente comprendió que la satisfacción sexual estaba a su alcance, y que si estaba con el hombre apropiado todo era tan sencillo y natural como respirar.

–Zak... –susurró, preguntándose si sería correcto echarle los brazos al cuello y darle las gracias.

Pero él no parecía tener muchas ganas de hablar, porque ni siquiera esperó a que los espasmos del clímax se calmaran para colocarse sobre ella y volver a penetrarla.

La inexperiencia de Emma le hizo preguntarse si Zak estaría disfrutando tanto como ella. Pero entonces sintió el cambio de ritmo en las embestidas de Zak, seguido por un fuerte estremecimiento y una exclamación ahogada en griego. Unos segundos después la besó en la cabeza, le rodeó posesivamente la cintura y soltó un profundo suspiro de satisfacción.

Emma se abrazó a él en silencio. No quería romper el sensual hechizo que le llenaba la cabeza de fantasías y posibilidades. Zak había sido un amante tierno y considerado a pesar de estar furioso con ella. ¿Cómo sería estando de buen humor?

–¿Zak? –lo llamó en voz baja, pero por su serena respiración advirtió que se había quedado dormido.

Muy despacio, giró la cabeza para contemplar sus labios, ligeramente entreabiertos, y sus negros mechones sobre la almohada. Nunca lo había visto tan relajado, y con gusto se habría quedado mirándolo toda la noche. Pero las dudas empezaban a abrirse camino en su precaria autoestima al recordar sus palabras. «Voy a acariciarte donde les gusta a todas las mujeres». Se mordió el labio y desvió la vista al techo. Lo decía como si ella fuese la última de una larga lista de amantes. Y seguramente quería dejarle claro lo único que era. Una aventura de una sola noche.

Se obligó a afrontar los hechos, por dolorosos que fueran. Zak estaba asqueado por su historia personal. Así se lo había hecho ver, y eso no iba a cambiar. Se había tomado todas las molestias necesarias para llevarla al otro lado del Atlántico y separarla de su hermano.

¿Qué pasaría después de haberse acostado con él? ¿Acaso la llevaría a la joyería situada en la planta octava del hotel y le compraría un anillo con un enorme diamante engarzado? Claro que no. Ese tipo de gestos eran propios de hombres como Louis, no como Zak. Y ella había aprendido amargamente que eran gestos vacíos. Zak había actuado por impulso, avivado por un furioso deseo, y no había ningún fundamento para algo estable y duradero.

Tenía que ser realista y decidir en función de las posibilidades que se le presentaban, que no eran muchas. Podía pasar la noche abrazaba a su cuerpo, fuerte y cálido, y a la mañana siguiente ver la expresión de remordimiento en los ojos adormilados de Zak. El mismo remordimiento que sentiría ella al salir de la suite con un vestido de noche arrugado a la luz del día. Ni siquiera tenía un cepillo de dientes o un peine para arreglarse un poco. ¿Qué clase de imagen daría si se tropezaba con alguna camarera del hotel... o con Cindy?

Si aquello solo iba a ser la aventura de una noche, lo mejor que podía hacer era acabarla con su orgullo intacto. Y para eso debía marcharse cuanto antes, sin necesidad de una despedida fría y embarazosa.

Apartó el edredón sin hacer ruido y contuvo la respiración mientras se levantaba de la cama. Recogió en silencio la ropa y los zapatos para llevárselo todo al salón y allí se vistió con manos temblorosas, temiendo que Zak se despertara y leyera sus pensamientos al mirarla a los ojos.

Antes de salir se miró en el gran espejo que colgaba sobre la repisa de la chimenea y se encogió de vergüenza y horror. Tenía el pelo como en un anuncio de champú «antes» del lavado, y el vestido estaba tan arrugado que podría confundirse con una especie de bayeta. Pero lo peor era sin duda su cara: maquillaje corrido, mejillas enrojecidas, labios hinchados... como una prostituta de lujo sin otro propósito en la vida que satisfacer sexualmente a un hombre.

El estómago se le revolvió de asco. Era la misma imagen que presentaba su madre por las mañanas, mientras Emma desayunaba antes de ir a la escuela. Emma se había jurado que jamás ofrecería una imagen semejante.

Agarró el bolso del suelo y se marchó silenciosamente de la suite.

Capítulo 10

S I NO supiera lo que sé, pensaría que siempre te escabulles de la cama de un hombre sin despedirte siquiera.

Un mal presagio invadió a Emma al mirar a Zak. ¿Era disgusto lo que expresaban sus ojos, o tan solo una lógica frustración porque hubiera sido ella la que tomase la decisión de abandonar su cama la noche anterior? Por una vez, no había sido él quien tomara la iniciativa.

Tenía los dedos entumecidos por el frío, a pesar de llevar guantes. El tiempo no invitaba a sentarse en la terraza, pero tras la noche de pasión con su jefe griego se sentía inquieta y enclaustrada, deseando escapar aun sabiendo que no había escapatoria posible.

—No quería despertarte —respondió débilmente.

—¿Por qué no?

—Porque... —dudó un momento. ¿Qué sentido tenía seguir jugando? Zak Constantinides sabía más de ella que cualquier otra persona, incluso más que su madre y su exmarido—. Porque pensé que te arrepentirías de lo sucedido al despertar esta mañana.

Zak no dijo nada. Transcurrieron unos segundos de silencio, tan largos y tensos que Emma no pudo contenerse más.

–¿Estoy en lo cierto? –le preguntó.

Zak examinó su pálido rostro y frente arrugada. Llevaba el pelo recogido descuidadamente en la coronilla, y con sus vaqueros y chaqueta ofrecía un aspecto radicalmente distinto a la diosa del vestido blanco que había bailado entre sus brazos la noche anterior. Que Emma le hiciera aquella pregunta confirmaba su falta de experiencia. Una mujer más sofisticada no habría sido tan franca al comienzo de una aventura, arriesgándose a la posibilidad de un rechazo. Pero un rasgo inherente a Zak era la honestidad. Jamás le daba esperanzas a una mujer cuando no las había.

Pensó en los paparazzi que habían fotografiado su salida de la fiesta y apretó los labios con disgusto. Las fotos ya debían de estar en poder de la prensa de medio mundo, y pronto empezarían las especulaciones sobre la «misteriosa mujer rubia» que acompañaba al magnate griego.

–Puede que no fuera lo más sensato –admitió.

A Emma se le cayó el alma a los pies.

–¿No te gustó?

Zak volvió a apretar la mandíbula. Si hubiera sido cualquier otra mujer la que se lo preguntara, le habría dicho que no fuera tan falsa. Pero Emma parecía sinceramente preocupada. Era importante que la tranquilizara sin darle falsas esperanzas.

–Me gustó mucho... Y creo que a ti también, ¿no?

¡Eso no tenía ni que preguntárselo! Emma intentó imaginarse cómo debía de vivir Zak aquel tipo de situaciones, siendo un amante increíble sin preocuparse nunca por dudas ni temores. ¿Les habría hecho tocar las estrellas a todas las mujeres con las que se había acostado?

—Sí.

—Esperemos que Nat no vea las fotos que nos hicieron los paparazzi.

Emma lo miró boquiabierta.

—Ya te dije que no hay nada entre Nat y yo.

Zak volvió a guardar silencio. ¿Cómo era posible que Emma no entendiese la rivalidad primaria que se deba entre todos los hermanos y, por extensión, entre todos los hombres?

Aunque, ¿cómo iba a entender nada si apenas tenía experiencia?

—Lo mejor será que no digas nada... a menos que salga el tema.

Emma se sintió como si fuera un montón de polvo que hubiese que esconder debajo de la alfombra.

—No se me ocurriría decir nada, Zak. No te preocupes. Mis labios están sellados. Y puedo marcharme ahora mismo para que todo sea más fácil —se apresuró a añadir—. Le dejaré las instrucciones pertinentes a Cindy. Es una chica muy brillante y sabe lo que hay que hacer. Ya se ha pedido casi todo el material y solo es cuestión de instalarlo en los próximos días. El proyecto estará listo esta misma semana y ni siquiera me necesitarás para la inauguración.

Zak entornó la mirada.

—Normalmente las mujeres que se acuestan conmigo no quieren poner tanta distancia entre nosotros como sea posible.

—No he dicho que quiera hacerlo —replicó ella, bajado la mirada a sus manos enguantadas para que Zak no viese la debilidad reflejada en su rostro. Le avergonzaba reconocerlo, pero necesitaba desesperadamente que Zak volviera a abrazarla y besarla–. Solo digo que quizá sea lo mejor.

Zak observó el pálido reflejo de sus rubios cabellos y pensó que tal vez fuese más lista de lo que había pensado. No había nada que a él lo provocase más que algo que no pudiera tener... ¿Lo habría intuido Emma y por eso llevaba a cabo aquella magistral interpretación?

–No vas a irte a ninguna parte –declaró–. Hoy vas a trabajar, como todos los días, y esta noche te llevaré a cenar.

–¿A cenar?

–¿Tan extraño te parece, dadas las circunstancias? Tienes que cenar... a menos que tengas otros planes.

Emma frunció los labios para reprimir la sonrisa que amenazaba con iluminarle el rostro. No sería adecuado mostrar un entusiasmo desbordado.

–No... no tengo otros planes.

–Bien. Tengo que asistir a unas reuniones en otra parte de la ciudad. Enviaré un coche a recogerte y nos veremos en el restaurante. ¿Qué te parece?

–Me parece bien –respondió ella. Esperó un beso, un apretón en el brazo o cualquier otra muestra de afecto que le recordara la noche anterior, pero él se limitó a esbozar una rápida sonrisa y la dejó en la terraza.

Seguía sin saber si Zak se arrepentía de lo ocurrido, pero lo que sí sabía era que un análisis exhaustivo de la situación podría ser peligroso para su salud mental. De modo que se lo sacó de la cabeza y se concentró de lleno en su trabajo.

–Eres muy perfeccionista, Emma –bromeó Cindy tras pasarse una hora moviendo un cuadro en la pared hasta quedar satisfecha.

–Detallista, más bien –corrigió Emma con una sonrisa–. El secreto del éxito está en los detalles.

Pero mientras se preparaba para la cena volvieron a invadirla los nervios, especialmente cuando recogió el periódico que le habían metido por debajo de la puerta. Al hojear las páginas de sociedad encontró una foto de ella saliendo de la fiesta, con Zak.

Hacía mucho que no veía una foto suya en la prensa, y le provocó el mismo disgusto que entonces. El lenguaje corporal entre ambos era tan revelador que sobraban las palabras. Zak caminaba echando fuego por los ojos y ella se apresuraba para seguirle el paso como una ratoncita asustada. Se preguntó si Nat vería aquella foto... y cómo la interpretaría.

Olvidada su excitación por la cena, escogió un sencillo vestido negro, se recogió el pelo y se puso una chaqueta. Bajó al vestíbulo y el conserje la acompañó al coche que la estaba esperando para llevarla al restaurante.

La primera impresión que tuvo al ver el edificio simple y anodino fue que el chófer se había equivocado de dirección. Hasta que recordó que, en el mundo de los multimillonarios, lo ínfimo seguía estando por encima de la media. Y que el estilo minimalista se consideraba en la actualidad mucho más chic que la ostentación de glamour y riqueza.

Le dio el nombre de Zak al maître, pero este le informó de que aún no había llegado y le preguntó si desearía esperarlo en el bar o ir directamente a la mesa.

Optó por la segunda opción y siguió al maître con un paso firme y decidido que ocultaba su creciente nerviosismo. ¿Qué demonios estaba haciendo allí? ¿Por qué había accedido a cenar con un hombre que ni siquiera se molestaba en acudir puntualmente a la cita? Pidió agua e intentó beberla sin prestar atención a su entorno, pero sabía que era la única mujer que estaba sola en el restaurante. Lo cual no ayudaba a tranquilizarla.

Al cabo de lo que le pareció una espera interminable, todas las miradas se volvieron hacia el hombre que hizo su entrada y se dirigió directamente hacia ella. A Emma se le aceleró el corazón al verlo. Iba impecablemente vestido con un traje oscuro y una camisa blanca, y su piel aceitunada relucía como si estuviera bañado en oro. Todo su cuerpo se estremeció ante la imagen de quien la noche anterior había sido suyo...

—Siento llegar tarde —se disculpó él al sentarse frente a ella.

—No te preocupes. Lo he pasado muy bien aquí sentada, examinando el diseño del local y comparándolo con mis ideas.

Zak la observó atentamente.

—Estás muy guapa esta noche.

—¿Ah, sí? ¿Lo dices por este vestido...?

—Lo digo para que tú me respondas: «gracias, Zak».

—Gracias, Zak.

—Eso está mejor —agarró una carta y se la tendió a ella—. Tienen una amplia variedad de platos vegetarianos.

Emma lo miró con grata sorpresa.

–Te has acordado...

–Tengo muy buena memoria para los detalles –dijo él, pensando en la reacción de Emma. Era muy significativo que se sorprendiera tanto por un simple gesto de consideración, como acordarse de su dieta vegetariana. No era tan dura como él había creído en un principio, y quizá debería tener mucho más cuidado con ella. Tal vez no hubiera sido buena idea invitarla a cenar, pues podría hacerle creer que había algo serio entre ellos.

Pero ¿acaso la reciente pérdida de su virginidad y su consiguiente disfrute del sexo no anunciaban la liberación que Emma tanto necesitaba? ¿No podría ser el comienzo de un nuevo capítulo en su vida? Él le había enseñado que el sexo podía ser algo estupendo. Tal vez con un poco más de instrucción estaría lista para salir al mundo y comenzar de nuevo.

–¿Has... has visto la foto del periódico? –le preguntó ella en tono vacilante.

–Sí. He ordenado que la quiten de la edición digital.

–¿Y lo han hecho?

–Harían lo que fuera por una entrevista en exclusiva. No tienes que preocuparte por nada... Haré lo que esté en mi mano para que te dejen en paz.

Sus palabras la hicieron sentirse más protegida de lo que nunca se había sentido. Y hasta ella, con su ridícula falta de experiencia, sabía que pensar de aquella manera podía ser peligroso.

Muy, muy peligroso.

–Gracias.

Zak se permitió relajarse mientras la observaba. Aquella noche llevaba las uñas pintadas de escarlata, en fuerte contraste con su pequeño vestido negro, y no pudo evitar imaginárselas arañándole la piel enardecida por el deseo.

Le habría gustado llevarla a la suite y pedir la cena al servicio de habitaciones, pero le debía algo más a Emma. Por muy poca conciencia que tuviese, sabía que debía tratarla con un cuidado especial. Si todo acababa cuando ella se subiera al avión de vuelta a Inglaterra, como seguramente fuera el caso, no quería dejarla con la impresión de que para él solo había sido un pasatiempo sexual.

Aunque fuera cierto.

—¿Qué pasa con tus uñas? —le preguntó.

Ella bajó la carta y parpadeó un par de veces.

—¿Con mis uñas?

Zak le agarró la mano y le acarició los dedos.

—Me he fijado en que siempre te pintas las uñas y que cada vez las llevas de un color diferente. Me parece curioso, ya que no te sueles maquillar.

El asombro de Emma crecía por momentos. Zak tenía realmente un buen ojo para los detalles. Se miró los dedos, engullidos por los suyos.

—Porque mi trabajo se basa en la presentación. Todo el mundo se fija en las manos de una diseñadora de interiores, sobre todo cuando estás enseñando unas muestras de tela o señalando un libro. Los vaqueros y las camisetas se pueden pasar por alto como un uniforme de trabajo, pero si tus manos ofrecen un aspecto descuidado... se te juzgará muy negativamente.

—Entiendo. ¿Y cuál es el mensaje subliminal que estás mandando esta noche con tus uñas color escarlata?

Emma tragó saliva. Le encantaba que le estuviese agarrando la mano, pero se sentía un poco intimidada por la sensualidad que despedían sus ojos. Una cosa era intimar en la habitación, pero allí, en medio de un restaurante... ¿Cómo se suponía que debía reaccionar? Era como si a una conductora novata le dijeran que iba a competir en el Grand Prix de Mónaco.

–Ninguno –respondió rápidamente–. Simplemente, el rojo combina bien con el negro.

–Qué lástima –le soltó la mano, justo cuando llegaba el sumiller para ofrecerles una copa de champán.

Emma se preguntó si quizá debería haberle dado otra respuesta más acorde al color rojo... ¿Sería eso lo que Zak esperaba de ella? ¿Una mujer pasional y voluptuosa que se valía de todos sus recursos para seducir a los hombres... igual que había hecho su madre?

Ni hablar. Ni podía ni quería serlo. Lo que deseaba era conocer a fondo a Zak Constantinides, no limitarse a un simple flirteo pasajero.

–Sabes mucho de mí... –comentó.

–¿Te molesta que contratase a un detective?

Emma se encogió de hombros, porque la verdad era que casi lo había olvidado.

–Puede que yo hubiera hecho lo mismo si tuviera tanto dinero y poder como tú. Lo que intentaba decirte es que no estamos en igualdad de conocimientos. Tú lo sabes casi todo de mí, mientras que yo apenas sé nada sobre ti.

Zak arqueó las cejas.

–Supongo que solo sabes lo que Nat te ha contado.

–No ha sido mucho.

–¿Qué te ha contado?

Emma agarró el pesado tenedor de plata y se puso a juguetear con la ensalada César que le había servido el camarero.

–Me habló de tu infancia privilegiada.

–¿Privilegiada? –se rio por la forma que tenía Nat de ver las cosas–. Supongo que es una manera de describirlo... ¿Te habló de la mujer que contrató mi familia para hacer de niñera?

Emma asintió con cautela al percibir la aspereza de su tono.

–Me contó algo sobre la separación de tus padres y que tu padre volvió a casarse.

Zak pensó amargamente en lo simple e inocua que podía parecer una historia si se escogían las palabras adecuadas.

–¿Te dijo que se casó con una mujer mucho más joven que él? Una rubia de exuberantes curvas... –hizo una breve pausa–. Como tú.

La vio estremecerse y recordó lo convencido que había estado de que las mujeres como ella no eran su tipo. Qué equivocación...

Se había equivocado en muchas cosas acerca de Emma.

–No, no me lo dijo.

–No tenía ni veinte años –las palabras le salían solas. Tal vez por el largo tiempo que las había reprimido, o tal vez por la comprensión que brillaba en los verdes ojos de Emma Geary–. Y mi padre tenía más de cincuenta. Él estaba muy contento, como te podrás imaginar. Se sentía inmensamente halagado...

La voz le falló por un instante.

–Supongo que no debería culparlo por acostarse

con ella... Pocos hombres podrían haberse resistido a un cuerpo como el de aquella chica luciendo un bikini minúsculo en la piscina. Aquel verano mis amigos venían a bañarse a casa todos los días.

Para Zak había sido un motivo de vergüenza y remordimiento que sus amigos, todos adolescentes con las hormonas revolucionadas, se comieran con los ojos a la mujer que había contribuido a romper el corazón de su madre.

—¿Qué ocurrió? —le preguntó Emma en voz baja.

Zak sintió un amargo sabor de boca.

—Algo que ahora ocurre con mucha más frecuencia que antes... Mi padre anunció que estaba enamorado y que quería el divorcio para casarse con esa chica. Mi madre nunca lo superó.

Se dio cuenta de que tampoco él lo había superado, al resumir el pasado en unas pocas pinceladas que ni de lejos podían plasmar el suplicio por el que pasó su madre. Cómo se iba abandonando y consumiendo inexorablemente, negándose a comer porque en su desesperación y locura pensaba que así recuperaría a su marido...

Y su marido, mientras tanto, se dedicaba a satisfacer todos los caprichos de su nueva mujercita, tan cegado por su belleza y pasión juvenil que no advirtió la verdadera intención de la chica por hacerse con todo su dinero.

—Lo más absurdo de todo es que al final nadie fue feliz —continuó lentamente—. Poco a poco mi padre se fue dando cuenta de que había cometido el mayor error de su vida al confundir el amor con un simple arrebato de deseo. Se había casado con una mujer con la que no tenía nada en común. Hablaban idiomas diferentes, procedían de culturas diferentes, tenían valores diferentes... En los años que pasé alejado de él solo pude asistir impotente al deterioro en la salud de mi madre y a que la fortuna de mi padre fuese malgastada por mi...

–¿Madrastra?

–¡No! –sus ojos grises ardieron de indignación–. ¡Esa mujer no merece llamarse así!

–¿Qué... qué pasó? –le preguntó prudentemente, viendo como se le ensombrecía la expresión por los recuerdos.

Zak se encogió de hombros como si no importara, como si no significara nada para él, cuando la realidad era que lo significaba todo.

–Yo me ocupé de Nat durante la enfermedad de nuestra madre y tras su muerte... y me ocupé también de mi padre cuando esa mujerzuela lo abandonó tras dejarlo sin un centavo. Poco a poco empecé a reconstruir el imperio de la familia Constantinides.

Emma se quedó callada y pensativa. El comportamiento de Zak adquiría de repente un sentido claro y justificado. Para un carácter tan orgulloso como el suyo, el divorcio de sus padres, la muerte de su madre y la pérdida de su fortuna y estatus debían de haber sido un trauma casi insuperable.

También quedaba explicada su necesidad por controlar e influir en todo cuanto lo rodease, así como su obsesiva ambición por alcanzar el éxito. Emma creía que había heredado la fortuna de su familia, pero no era así. La había conseguido por su propio esfuerzo y capacidad de superación.

Permaneció en silencio, observando el dolor de sus ojos grises. Ignoraba el motivo que había impulsado a Zak a contarle todo aquello, hasta que sus siguientes palabras se lo dejaron muy claro.

–¿Responde esto a tu pregunta de por qué nunca me he casado?

–No recuerdo haberte preguntado eso, Zak.

–No, pero lo estabas pensando.

A Emma le resultaría muy fácil indignarse por aquella presuposición y acusarlo de tener un ego desmedido. Pero pensó en lo que acababa de contarle y descubrió que no quería tomar represalias de ningún tipo. Zak había sufrido muchísimo. ¿No podría demostrarle ella un poco de consideración sin esperar nada a cambio?

¿No podía decirle la verdad?

–Sí, es verdad –admitió–. Y seguramente no sea la única mujer que se pregunte por qué un hombre que lo tiene todo sigue soltero.

A Zak le sorprendió su candor, y aún más su urgente necesidad de explicárselo.

–Antes has dicho que no estábamos en igualdad de conocimientos... Por experiencia puedo decir que no hay una verdadera igualdad ni equilibrio en las relaciones sentimentales. Uno de los dos siempre ama demasiado, y el otro no ama lo suficiente.

–¿Fue eso lo que pasó con Leda? –se aventuró a preguntar Emma, recordando a la mujer de pelo corto que había visto en Londres. La mujer por la que Zak estaba transformando una sala de su hotel en un salón de bodas.

Recordó también la observación que Nat le había

hecho a su hermano sobre lo convencidos que estaban todos de que se acabarían casando.

–Leda es lo más cerca que he estado de tener una relación estable –confesó–. Pero me gustaba demasiado como para hacerle daño, y no podía garantizar que no fuese a hacérselo –levantó la copa en un brindis silencioso–. De cualquier manera, va a casarse con otro... así que todo salió bien.

A Emma le pareció detectar una nota de pesar en su voz, pero sospechaba que no iba a contarle nada más. Había sido una confesión brutalmente honesta, y también una especie de advertencia. «No te acerques demasiado a mí», parecía estar diciéndole. «Porque nada bueno podría salir de esto».

–Ahora ya conoces mi pasado... ¿Qué te parece? –ella no respondió–. Algunas personas no están hechas para las relaciones estables, Emma, y yo soy una de esas personas. A las mujeres las desquicio tanto que se desviven por hacerme cambiar de opinión, pero es en vano. Y eso me lleva a preguntarte si aún quieres pasar la noche conmigo.

La pregunta del millón.

Emma sostuvo la mirada de sus ojos grises. Zak no le estaba prometiendo nada y no podría haber sido más claro. Pero ella seguía pensando y deseando lo mismo. Toda su vida había esperado a un hombre que la hiciera sentirse como Zak, y no iba a renunciar a ello aunque la relación estuviese condenada a acabarse.

–Sí –respondió en el tono más ligero posible–. Y esta vez me quedaré toda la noche.

Capítulo 11

POR PRIMERA vez en su vida, Emma sentía que era la novia de alguien. Como una de esas mujeres que llevaban una vida «normal», saliendo con un hombre mientras decidían hasta qué punto se gustaban.

Con Louis todo había sido precipitado y secreto. Temía que otro compromiso echara a perder su última reinvención como el chico malo del rock, por lo que Emma hubo de permanecer al margen hasta la celebración de la boda. A partir de entonces Louis la mostraba a la menor oportunidad y se jactaba de su virilidad al estar con una chica mucho más joven que él. Pero Emma solo recibía una mínima fracción de atención e interés por parte de su marido, quien seguía prodigando besos y sonrisas a las legiones de fans que intentaban darle sus números de teléfono.

Con Zak todo era diferente. Emma estaba convencida de que se cansaría de ella al cabo de una o dos citas, o que intentaría verla lo menos posible y únicamente para tener sexo. Pero él la sorprendió con una dedicación y caballerosidad constantes.

La llevaba a los mejores restaurantes de la ciudad, a las más prestigiosas galerías de arte e incluso a un concierto en Carnegie Hall. También consiguió entradas para el espectáculo de más éxito en Broadway y Emma se rio tanto con el atrevido musical que se le saltaron las lágrimas. Y cuando miró a Zak se lo encontró observándola, sacudiendo la cabeza con expresión divertida mientras sacaba un pañuelo del bolsillo para entregárselo.

Zak no tenía ningún motivo para ocultarla. Y aunque solo la presentara como su diseñadora de interiores, no había razón para estar decepcionada por ello. A veces se sentía como si tuviera un puñado de arena que se le escapara lentamente entre los dedos, pero no podía hacer mucho al respecto. Sabía muy bien que aquella relación no podía durar, y lo único que intentaba era disfrutarla mientras pudiera.

Pero el final de aquel sueño se acercaba inexorablemente, y Emma se sentía como una Cenicienta a pocos minutos de la medianoche. La inauguración del salón de bodas estaba prevista para el final de la semana y ya tenía reservado el billete de avión para volver a casa. Despegaría del aeropuerto JFK y dejaría a Zak atrás, y no se atrevía a imaginar cómo se sentiría entonces.

La noche antes de la inauguración Zak la llevó a un fabuloso restaurante situado en lo alto de un rascacielos. A través de los inmensos ventanales se veía el cielo nocturno salpicado de estrellas y una luna en forma de uña dorada, que junto al parpadeo de las velas, creaba un escenario idílico.

–Debería estar trabajando –dijo Emma mientras pasaba el dedo por el borde de su copa de champán.

–Has estado trabajando todo el día.

–Sí, pero...

–Todo va a salir perfectamente. Estoy convencido de ello, *chrisi mou.*

Emma dejó la copa para que el temblor de la mano no la volcara. Un intenso estremecimiento le recorría todo el cuerpo cada vez que él le decía algo en griego. Normalmente lo hacía en el momento del orgasmo, pero nunca en público.

–¿Qué significa?

–Significa «cariño mío».

–Eso es muy bonito...

–Mmm –Zak reconoció el inconfundible tono de esperanza en su voz. Era obvio que Emma quería más, al igual que todas las mujeres. Pero él no podía darle más.

Se fijó en su plato, casi intacto.

–No estás comiendo mucho.

–Tú tampoco.

–A lo mejor porque me estoy preguntando qué hacemos aquí en nuestra última noche, cuando podríamos estar haciendo algo mucho mejor en el hotel.

–Pero acabas de pedir una botella del champán más caro que tienen...

–¿Y qué? Vamos a pedir la cuenta.

Salieron del restaurante y se estuvieron besando como una pareja de adolescentes en el taxi. Tuvieron que pedir uno, ya que Zak le había dicho al chófer que los recogiera a las once. Emma apenas podía contener la excitación, hasta que estuvieron a solas en la suite y empezó a quitarle la chaqueta con impaciencia.

–Debería haberte enseñado a ser un poco más delicada –bromeó él mientras arrojaba la chaqueta a un sillón.

–¿Es delicadeza lo que quieres? –le preguntó ella con voz jadeante mientras le desabrochaba la hebilla y le recorría la erección con los dedos.

–No, claro que no. Quiero que hagas lo que estás haciendo.

Lo hicieron sobre el sofá del salón, rápida y apasionadamente. Y después se movieron a la cama y lo hicieron otra vez. Y otra más, hasta que ambos quedaron profundamente dormidos.

Al despertar, Emma sintió el espacio vacío junto a ella y distinguió la silueta de Zak moviéndose en silencio por la suite.

–¿Qué hora es?

–Las seis y diez.

–Es temprano –dijo ella, reprimiendo un bostezo.

–Mmm.

–¿Tienes que asistir a alguna reunión? –le preguntó mientras encendía la lámpara de la mesita.

La suave luz amarilla transformó el pálido cuerpo de Emma en una diosa de piel dorada. Zak se quedó embobado mirándola. ¿Cómo podía ser tan irresistible a aquellas horas?

Aquella noche sería la última. Al día siguiente ella volvería a Inglaterra y la distancia haría imposible toda relación.

–Me temo que sí.

–Vaya.

–No pongas esa cara, Emma.

–¿Qué cara?

Zak se acercó a la cama y se inclinó para besarla en el pelo y aspirar su delicioso olor a rosas y champú.

–Ese mohín tan provocativo que haces con los labios... No te servirá de nada. Además, tú también tienes mucho que hacer. Hoy es tu gran noche, ¿no?

Emma sonrió al recordarlo. Sí, aquella noche era la inauguración del salón de bodas. La culminación del proyecto y, con suerte, su momento de gloria. La opinión que suscitara su trabajo entre los asistentes sería clave para su carrera profesional. Los proveedores y floristas llegarían durante el día y prepararían el salón para recibir a lo mejor de Nueva York. Habría clientes potenciales, juerguistas y un montón de periodistas para cubrir el evento.

¿Y después? ¿Qué pasaría cuando se hubieran retirado los canapés sobrantes y las copas con restos de champán? Se mordió el labio y sintió que se le encogía dolorosamente el corazón. Su trabajo se habría completado y ella sería libre para volver a Inglaterra... sin Zak.

Intentó ser realista y no dejarse llevar por un sentimentalismo absurdo. Había sabido en todo momento los riesgos que implicaba ser la amante de Zak Constantinides, pero había decidido ignorarlos en un arrebato de arrogancia y ciego deseo. Se había olvidado de que si se acercaba demasiado al fuego se podría quemar. Y ella, precisamente ella, debería saberlo mejor que nadie.

—Sí, así es —respondió animadamente—. La gran noche...

Zak le besó los hombros desnudos.

—Y supongo que no querrás perdértela por quedarte sin fuerzas, ¿verdad?

Emma no pudo contenerse y le rodeó el cuello con los brazos.

–No sé... –susurró mientras le besaba la mandíbula, recién afeitada–. ¿A ti qué te parece?

Sus caricias no podrían ser más inocentes, pero bastaron para que Zak se excitara de nuevo. Nunca había sentido una compatibilidad semejante con ninguna otra mujer, por muy experimentada que fuera. ¿A qué se debería aquella sorprendente compenetración con Emma? ¿Tal vez a que él la había instruido bien... o a que se había abierto a ella con una franqueza nada habitual? Era como si Emma lo hubiese despojado de su coraza protectora y hubiese atisbado a la persona que Zak mantenía escondida. Sentía que Emma lo conocía mejor que nadie. Y eso lo asustaba.

De pie frente a ella, ante aquellos brillantes ojos verdes, aquellos labios entreabiertos y la promesa de aquel cuerpo bajo la sábana, se sintió peligrosamente tentado de quitarse el traje, meterse en la cama y perderse en el calor y la dulzura que allí lo aguardaban. Cerró brevemente los ojos y se imaginó el incomparable placer de la primera embestida... pero enseguida se recordó que no tenía tiempo. Más importante aún, no podía demostrarle a Emma lo persuasiva y seductora que la encontraba. Era hora de inmunizarse contra su hechizo y que ambos se prepararan para la inminente separación.

Se apartó bruscamente de la cama y se pasó los dedos por el pelo. Emma se marcharía al día siguiente, y a él más le valdría acostumbrarse.

–No creo que sea buena idea desayunar con el director de un banco si aún llevo tu sabor en mis labios y dedos. Y tú tienes que estar fresca y descansada para enfrentarse al público más crítico de Nueva York. Sigue durmiendo y nos veremos en la inauguración, ¿de acuerdo?

–De acuerdo –frustrada y recelosa por la expresión que había visto en sus ojos, Emma permaneció en la cama hasta que la puerta se cerró tras Zak.

Pero era impensable que volviera a dormirse. Se duchó y vistió, y luego se pintó las uñas de un blanco perlado que reflejaba el estilo nupcial de la fiesta. Pero, hiciera lo que hiciera, sus pensamientos volvían sin descanso a Zak.

Era el momento de marcharse. Lo había sabido desde el principio. Pero cada vez le resultaba más dolorosa la idea de despedirse de él. Sobre todo por los maravillosos recuerdos que la acompañarían para siempre. Nada desearía más que Zak cambiara de opinión sobre el compromiso e hiciese una excepción con ella. Pero era un deseo absurdo. Que hubieran compartido unos momentos de deliciosa complicidad tras el orgasmo y pudieran hacerse reír el uno al otro no significaba que fuera a haber algo permanente.

Estaba haciendo lo que se había jurado no hacer jamás. Estaba intentando aferrarse a algo con fecha de caducidad. Igual que había hecho su madre cuando sentía que empezaba a perder a su amante de turno.

Tenía que dejar de comportarse como si aquello fuera el romance de su vida, y limitarse a disfrutar del proyecto en el que tanto había trabajado.

Gracias al orgullo profesional y a su férrea determinación se pasó el resto del día ultimando los detalles pendientes con Cindy. Estuvieron trabajando sin parar hasta las cinco, cuando ambas se retiraron para prepararse. Emma se puso el vestido blanco que había llevado a la fiesta de Sofía, sometido a una limpieza en seco, y Cindy estaba espléndida con un vestido corto del mismo azul zafiro que sus ojos.

Las dos contemplaron el salón en silencio, hasta que fue Cindy la primera en hablar.

–Es fantástico, Emma... Parece el escenario de un cuento de hadas.

Emma asintió, contagiada por el entusiasmo de su joven ayudante.

–Y que lo digas... Creo que a cualquier mujer le haría ilusión casarse aquí.

Un bonito cortinaje de color claro enmarcaba las enormes ventanas, y un juego de espejos contemporáneos estratégicamente colocados hacía que la sala fuese aún más luminosa. Las mesas estaban dispuestas con cubertería de plata y velas olorosas. Y en un rincón se erguía la hermosa estatua de Afrodita que Emma había encontrado en una tienda de antigüedades de la calle 60. Quería que la diosa griega del amor estuviera representada en un salón destinado a celebrar enlaces.

Aunque el detalle tampoco estaba desprovisto de ironía. Una diosa griega que Emma había erigido en silencioso tributo a su dios griego particular, cuyas ideas del amor y del compromiso nada tenían que ver con el propósito de aquella sala. ¿Cuáles habían sido sus palabras? «Uno de los dos siempre ama demasiado, y el otro no ama lo suficiente».

Se sacó aquel recuerdo de la cabeza y volvió a mirar alrededor.

–Voy a colocar las flores.

–Y yo voy a hablar con el jefe de seguridad –dijo

Cindy–. Ha habido una gran demanda de invitaciones y no quiero que se cuele nadie en la fiesta.

–Me cuesta imaginar un problema de seguridad en el Pembroke.

–Nunca se sabe.

Cindy se marchó y Emma se ocupó de los últimos retoques. Se preguntó si Leda sería la primera novia que se casara allí y si Zak sentiría algún remordimiento. ¿Qué significaría para él asistir al enlace de la mujer con la que más cerca había estado de comprometerse?

Los primeros invitados empezaron a llegar poco antes de las siete, y al poco rato apareció su amante griego. En cuanto entró en el salón de baile la gente se aglomeró a su alrededor como hormigas lanzándose a un tarro abierto de miel, pero él se abrió amablemente camino y se dirigió hacia donde Emma bebía un vaso de agua mineral.

Al principio no dijo nada. Se limitó a mirarla con ojos entornados, como si estuviera grabando su imagen para la posteridad.

–Debes de estar muy satisfecha con el resultado –le dijo finalmente.

Emma le dedicó una débil sonrisa. ¿Acaso Zak no sabía que la idea de marcharse y de salir de su vida para siempre le estaba rompiendo el corazón?

–Mucho –respondió en tono animado–. No creo que te cueste mucho llenar esta sala con... –la voz se le apagó al ver a una mujer que en ese momento entraba en el salón de baile. Su pelo negro y su largo abrigo escarlata llamaron la atención instantánea de los demás invitados–. ¿No es esa Leda?

Zak giró la cabeza y vio a la mujer acercándose a ellos.

–Sí.

–¡Zakharias! –exclamó Leda mientras lo abrazaba–. ¡Es perfecto! ¡Absolutamente perfecto!

–Díselo a Emma Geary. Todo esto es obra suya.

Leda miró a Emma con sus ojos oscuros y frunció ligeramente el ceño al reconocerla.

–Ah, sí... Eres la mujer que estaba en aquel restaurante de Londres con Nat, ¿no? ¿Cómo está Nat?

Emma sintió que se ruborizaba. ¿Qué diría Leda si supiera la verdad? ¿Pensaría que había traicionado a los dos hermanos al acostarse con Zak?

–Estaba muy bien la última vez que hablé con él –dijo con toda sinceridad–. Aunque de eso hace algún tiempo.

–Seguramente estará muy ocupado con su trabajo –dijo Zak, mirándola fríamente con sus ojos grises–. Y hablando de trabajo, vais a tener que disculparme. El alcalde acaba de llegar.

Emma sintió deseos de matarlo por dejarla a solas con su exnovia. Había sido muy astuto al hacerle ver a Leda que Emma solo era una empleada. Era la verdad, y, sin embargo, resultaba terriblemente dolorosa.

–¿Hace mucho que conoces a Zakharias? –le preguntó Leda.

Emma se encogió de hombros y apartó la mirada de Zak, quien intentaba abrirse paso entre las hordas de admiradoras.

–Unos meses, tan solo... aunque parecen haber sido años.

–Sí, suele ejercer ese efecto en las personas.

–Especialmente en las mujeres –dijo Emma sin pensar.

–Desde luego –Leda le lanzó una mirada sospechosa y bajó la voz–. ¿Estás enamorada de él?

Emma la miró a los ojos.

–Esa pregunta es muy personal.

–Ya lo sé. Solo te lo pregunto porque una vez yo también estuve enamorada de él. Supongo que como el resto de mujeres... aunque creo que fui yo quien más cerca estuvo de llegar a algo serio con él –soltó una breve carcajada–. Creía que el mundo se había acabado cuando se marchó de mi vida, pero no fue así. Lo superé y conocí a Scott, con quien voy a casarme y con quien soy más feliz de lo que jamás he sido –su expresión se suavizó–. Lo que quiero decirte, Emma, es que hay vida después de Zakharias Constantinides.

Un camarero con una bandeja de canapés interrumpió la charla, aunque Emma tenía un nudo en la garganta que le impedía tragar nada. El camarero se alejó y también lo hizo Leda para hablar con otros invitados.

Apretó los puños mientras todas sus fantasías prohibidas se desmoronaban en torno a ella. Leda no le había dicho nada que Zak no le hubiera dejado claro, pero la forma que había tenido de decírselo, de mujer a mujer, hacía imposible ignorarlo. Se sentía como si fuera una niña y su compañera de juegos le hubiera dicho que Santa Claus no existía. ¡Y ella no quería pasar su última noche en Nueva York aceptando una verdad difícil de digerir! No quería que le dijeran que había vida después de Zak, cuando lo único que quería era pasar su vida con él. Quería aferrarse a una esperanza, por vana que fuera, durante una última noche...

–¿Por qué estás tan triste, *chrisi mou*? –la voz de Zak la sacó de su ensimismamiento.

–¿Qué? Ah, no, nada... –respondió alegremente.

–¿Qué te ha dicho Leda?

–Nada que ya no supiera.

–¿El qué?

–Que le costó mucho superar vuestra ruptura, pero que acabó encontrando la felicidad con otra persona.

–¿Le has hablado de lo nuestro?

–No, Zak. Te dije que no se lo diría a nadie. Supongo que lo habrá adivinado ella sola... Las examantes tienen un sentido especial para esas cosas.

–Emma...

–Pero parece muy contenta con el salón –se apresuró a cortarlo ella–. Así que al menos puedo marcharme de Nueva York con la satisfacción de un trabajo bien hecho.

Zak se fijó en la palidez de su rostro y, por primera vez, pensó que podría haberle pedido que retrasara su marcha un día o dos. Así podría habérsela llevado a algún sitio para pasar un largo fin de semana y despedirse de ella con estilo, en vez de aquel modo brusco y precipitado.

El ambiente animado y distendido que se respiraba en el salón indicaba que la fiesta había sido un éxito, pero Zak sentía que algo había quedado pendiente. Sin pensar, le acarició el antebrazo con el dedo y vio la reacción en sus ojos, lo que le provocó a él un deseo instantáneo. ¿Cómo podía aquella mujer barrer su cordura y llenarle la cabeza con todas las cosas que quería hacerle?

–¿Puedo hablar en privado contigo?

–Claro. ¿Cuándo?

–Ahora.

–Pero la fiesta...

–Nadie nos necesita. Y yo necesito hablar contigo, Emma.

«Necesitar» no era una palabra que Zak usara muy a menudo, y a Emma se le desbocó el corazón mientras salían del salón de baile. Una chispa de esperanza prendió en su interior, pero se apagó en cuanto vio que la estaba llevando a su despacho, en la primera planta.

–¿Zak? –lo llamó dubitativamente cuando la puerta del despacho se cerró tras ellos.

Él la tomó en sus brazos y la esperanza volvió a brotar en el corazón de Emma al ver el brillo en su mirada. ¿La había llevado al despacho porque estaba más cerca que la suite y él no podía esperar un segundo más para estar a solas con ella? ¿Estaría tan apenado como ella por su inminente regreso a Londres?

–Emma... –la miró fijamente durante unos largos e intensos segundos y agachó la cabeza para besarla.

Emma lo recibió con los labios abiertos y él la besó con la pasión a la que la tenía acostumbrada. Pero había algo más en aquel beso. Una especie de furia contenida que prendió una llama similar en ella. De repente se encontró ardiendo por él. Le arañó ávidamente el pecho mientras él le quitaba las horquillas y le soltaba el pelo sobre los hombros, antes de apretarla contra su cuerpo excitado.

–Te deseo –deslizó una mano bajo el vestido y la subió por el muslo–. Maldita sea, Emma Geary... Te deseo. Eres como una fiebre para la que no existe cura...

–Zak... –pronunció su nombre en un hilo de voz jadeante–. Oh, Zak... Yo también te deseo. Te deseo más que nada en el mundo... Y te desearé siempre...

La última palabra fue como un chorro de agua helada sobre Zak. La soltó con brusquedad y caminó hacia la ventana mientras intentaba serenar la respiración.

Emma se quedó aturdida, sin saber qué había pasado ni cómo reaccionar. ¿Qué demonios le ocurría a Zak? ¿Qué había hecho ella?

–¿Qué ocurre, Zak? –susurró, buscando su mirada.

Él guardó silencio mientras luchaba contra un deseo incontenible. Estaba loco por ella. Tanto que no podía pensar con claridad. La había deseado desde el primer momento, cuando creía que era la amante de su hermano.

Pero un frío remordimiento lo invadía al recordar la última palabra de Emma... «Siempre». ¿Tan segura estaba de ella que creía haber triunfado donde tantas otras mujeres habían fracasado? ¿Pensaba haberle echado el lazo para toda la vida? Emma era como cualquier otra mujer, y aquello no era más que una simple atracción sexual. Muy fuerte, sí, pero que se desvanecería con el tiempo. Igual que le había pasado con las otras.

–Quítate las braguitas –le ordenó.

A Emma se le congeló la sangre al oírlo.

–¿Qué?

–Ya me has oído. Quítate las braguitas.

–¿Por qué?

Sus ojos se encontraron, y la mirada de Zak la habría hecho derretirse en cualquier otro momento.

–Vamos, Emma... eras una chica novata e inocente y te has convertido en mi alumna más aventajada –bajó la voz a un tono grave y profundo–. Quiero que te desnudes en mi despacho. Es algo con lo que llevo fantaseando desde hace tiempo, y lo recordaré cada vez que tenga que soportar una aburrida llamada de negocios. En vez de mirar los rascacielos cerraré los ojos e imaginaré tus muslos desnudos...

Ella no dijo nada y él se acarició el bulto de la entrepierna.

–¿A qué vienen esas dudas? –le preguntó–. Normalmente no vacilas con mis sugerencias.

–¿Sugerencias? –repitió ella, anonadada ante el impacto de la realidad. Zak la estaba tratando como los hombres trataban a su madre... Como si fuera una fulana–. Me has traído aquí en mitad de una fiesta, ¿y para qué? Solo quieres un striptease y algo rápido. ¿Qué crees que pensarían los invitados si de repente aparezco despeinada y con la ropa arrugada, como si me hubieran violado?

–No les corresponde a mis invitados hacer conjeturas sobre mi vida privada.

–No es privada, Zak. Me traes aquí y me haces sentir una ramera... ¿Cuál era tu intención?

–Ya te has desnudado otras veces para mí.

–¡Pero fue en la habitación!

–Solo hemos sido amantes unas pocas semanas... ¿No es un poco pronto para dejarse dominar por los convencionalismos? –torció la boca en un gesto irónico–. Pero si insistes en la conveniencia de una cama, podemos subir a mi suite ahora mismo...

Emma sintió el escozor de las lágrimas contenidas.

–¿Por qué haces esto, Zak?

La pregunta hizo que a Zak le remordiera la conciencia. ¿Por qué lo hacía? Era una buena pregunta. ¿Porque era más seguro alejarla que reconocer lo que sentía? ¿Porque Emma necesitaba saber cuál era su lugar... al igual que él?

–Porque puedo –respondió simplemente, y se encogió de hombros al ver el temblor de sus labios–. Lo siento.

Las palabras de Zak barrieron todo resto de esperanza, todos los sueños e ilusiones, y la obligaron a enfrentarse a la cruda realidad, como tantas veces había hecho en su vida. Pero en esa ocasión no era una niña indefensa que dependía de su caprichosa madre. Y tampoco era una joven inexperta, cegada por la fama de un hombre y por la ambición de su madre para casarla.

Era Emma. Una mujer adulta que se esforzaba por hacer lo correcto. Y lo correcto en ese caso no era albergar ningún tipo de esperanza con Zak. Lo había sabido desde el principio, pero su despertar sexual le había impedido escuchar la voz de su conciencia.

No podía permitir que sus deseos influyeran en sus decisiones, pues entonces se estaría condenando a cometer otro terrible error con un hombre. Ni podía abandonarse a la creencia de que estaba enamorada de él. Tenía que ser fuerte. Ni cortante ni rencorosa. Tan solo fuerte y segura de sí misma para aceptar a Zak como el hombre que era, no como el hombre que ella quería que fuese.

–No lo sientas –dijo tranquilamente–. No has hecho nada malo.

–¿No? –le extrañó que le dijera eso, porque esperaba recibir un aluvión de críticas y acusaciones merecidas.

–No. Solo estás siendo tú mismo.

–¿Y por qué eso hace que me sienta como un ser despreciable?

–No era mi intención, te lo aseguro.

Él asintió, porque creía en su palabra. A Emma no le gustaban los juegos ni hacía lo que casi todas las mujeres hacían. No buscaba que él le comprase regalos caros ni colmar su agenda para el año próximo. Lo único que había hecho desde que él se acostara con ella por primera vez fue convertirse en su amante perfecta... salvo en aquel momento, cuando él la había presionado más allá del límite.

Resultaba irónico que su rechazo a desempeñar el papel que él pretendía imponerle no fuese un motivo de frustración ni resentimiento, sino una razón para respetarla...

–Oye, olvida lo que te he pedido –dijo en un intento por apaciguarla–. Vamos a volver a la fiesta, y cuando acabe te llevaré a cenar aquí, en el hotel... ¿qué te parece?

Diez minutos antes le habría parecido lo mejor que Zak podía decirle. Pero ya no. Con aquella sugerencia solo pretendía calmarla y asegurarse de que más tarde volviera a satisfacerlo en la cama.

–Tentador, pero no.

–¿No?

Fue su tono de incredulidad la gota que colmó el

vaso. Si necesitaba alguna prueba de que Zak era un hombre arrogante y egoísta, ya la tenía. Y lo peor era que así seguiría siendo. Zak jamás podría cambiar.

–No, Zak. Por increíble que te parezca, rechazo tu invitación. Mi trabajo aquí ha acabado. Ahora subiré a mi habitación a hacer el equipaje para mañana, y tú podrás volver a la fiesta y atender a tus invitados. ¿Quién sabe? A lo mejor encuentras a una mujer dispuesta a hacer de stripper para esta noche.

–Ahora sí que haces que me sienta mezquino y ruin.

–Al menos ya sabes lo que se siente.

Permanecieron de pie, frente a frente, en un silencioso duelo de miradas.

–Vamos a dejar clara una cosa, Emma –dijo él finalmente–. Si con esta... retirada pretendes convertirme en tu esclavo, tengo que decirte que no te servirá de nada. Nunca he cedido al chantaje emocional y no voy a hacerlo ahora.

Emma abrió la boca, pero volvió a cerrarla antes de hacer algo tan poco digno como ponerse a gritar. O tirarle el vaso de los bolígrafos a la cara, como quiso hacer la primera vez que él la llamó a su presencia.

–Me das pena, Zak... Te niegas a ver las cosas más bonitas de la vida porque eres un cobarde emocional. Allí donde miras solo ves ardides, engaños y mujeres astutas que solo buscan llevarte al altar. Yo no soy como esas mujeres, y jamás lo seré. No quiero recibir nada de un hombre que no me lo dé por su propia voluntad. Puede que no tenga mucha experiencia, pero al menos he aprendido eso. Así que discúlpame si ahora me despido de ti. Me marcho de aquí mañana a primera hora, y si te soy sincera, no creo que pueda esperar tanto.

Vio el desconcierto que nublaba sus ojos grises, acompañado de una expresión dolida por ver su ego machacado sin piedad. Emma se dio la vuelta rápidamente y salió del despacho reprimiendo las lágrimas. Gracias a las lecciones de baile de su madre podía mantener la espalda recta y la cabeza alta en todo momento.

Aunque por dentro estuviera destrozada.

Capítulo 12

EN CUANTO abandonó el despacho de Zak, fue a su habitación a hacer el equipaje. Era el orgullo lo que la motivaba, pero también el miedo. Miedo a que Zak fuera a buscarla y usara todo su poder de seducción para hacerle cambiar de idea. Sería una equivocación acostarse con él cuando la hacía sentirse como una vulgar ramera. El desequilibrio en la relación había quedado de manifiesto y ella necesitaba poner toda la distancia posible entre ambos antes de subirse al avión.

Agarró la maleta y salió a toda prisa del Pembroke para subirse a un taxi que la llevara a un hotel cercano al aeropuerto JFK. Era sencillo y económico, y tenía un servicio de transporte gratuito a la terminal. Justo lo que necesitaba para alejarse de la suntuosidad del Pembroke. Encontró un extraño confort en las paredes de color magnolia y la colcha azul de la cama. Se sentó en la cafetería de paredes rojas y se tomó un café aguado en una simple mesa de fornica. Lo más absurdo de todo era que aquella austeridad le inspiraba nostalgia, porque así había vivido antes de que las circunstancias la catapultasen a un mundo de lujos y comodidades.

Pero había aprendido que el dinero no hacía la felicidad. El ejemplo más claro lo tenía en Louis, quien dilapidó su vasta fortuna en drogas y alcohol. Y en Zak también, quien a pesar de su imperio hotelero carecía de paz interior.

No quería pensar en Zak. Quería olvidarse de sus ojos grises, de sus besos, de cómo se sentía en el paraíso cuando estaba entre sus brazos. Quería olvidar que había perdido su corazón a manos de un hombre que no estaba hecho para ella. Ni ella para él.

Aquella noche la llamó por teléfono, mientras Emma veía un espantoso concurso en la tele, sentada en la cama y comiéndose un donut. Al ver el nombre de Zak en la pantalla del móvil le dio un brinco el corazón. Quería responder a la llamada y que Zak le dijera todo lo que ella sabía que nunca oiría de sus labios. En vez de eso se lamió el azúcar de los dedos y subió el volumen de la televisión para que las risas del concurso ahogaran cualquier otro sonido. Después puso el móvil en silencio y lo dejó boca abajo en la mesa para no ver el parpadeo.

Zak volvió a llamarla mientras estaba sentada en la sala de embarque, pero tampoco entonces respondió. Apagó el móvil al subirse al avión, y cuando volvió a encenderlo en el aeropuerto de Heathrow vio que la había llamado dos veces más. Estaba decidida a no hablar con él. No tenía sentido hacerlo, después de haberse dicho todo lo que tenían que decirse. Además, el suave acento griego de Zak podría hacerle estragos a su ya atribulado corazón. Vio que le había dejado un mensaje en el buzón de voz y se permitió la primera sonrisa del día al borrarlo sin antes oírlo.

De vuelta en Londres se encontró con el peor

tiempo que había visto en años. Los árboles estaban pelados por un viento que aullaba como un demonio enloquecido. Era como si los elementos de la Naturaleza se hubieran confabulado para reflejar su miserable estado de ánimo.

Pero ni siquiera podía culpar a las inclemencias del tiempo. Solo ella era la responsable de haber quebrantado sus principios cuando se acostó con un hombre como Zak Constantinides.

Tal vez se había dejado seducir por la fascinación del dinero y el glamour... lo que la convertía en una hipócrita además de estúpida.

Tenía miedo de volver al hotel Granchester, aunque una parte de ella esperaba, y confiaba, que le rescindieran el contrato a su regreso. Así todo sería mucho más fácil. Podría cerrar aquella etapa de su vida y empezar de cero.

Pero no se encontró con ninguna carta de despido, y cuando llamó para hablar con Xenon, el director del hotel y el ayudante de Zak, este le dijo que había un montón de trabajo esperándola. Emma debería haberse alegrado por recibir nuevos encargos, pero no fue así. Lo único que quería era encerrarse en su apartamento y no salir hasta que las heridas hubiesen cicatrizado.

En la soledad de su dormitorio deshizo el equipaje y se dio cuenta de que hacía mucho que no hacía algo tan normal como ir al supermercado. Le envió un mensaje a Nat para decirle que había vuelto y sugerirle que se vieran para tomar una copa alguna vez. La respuesta le llegó una hora más tarde: «Me encantaría. Estoy de viaje. Vuelvo la semana que viene. ¡Em, creo que me he enamorado!».

Emma se preguntó si aquella vez sería la definitiva mientras se miraba al espejo. Había cambiado, y no solo por fuera. Se sentía distinta. Había encontrado la fuerza para alejarse de algo dañino, por muy doloroso que le resultara hacerlo. Tal vez aquella fuerza interior fuese el premio de consolación... lo único bueno que podía sacar de su relación con Zak.

Pero también se dio cuenta de que no había vuelta atrás. Había usado su amistad con Nat como un parachoques contra el mundo. Y aunque la aventura actual de Nat acabase igual que las otras, ella no podría recurrir otra vez a la seguridad que siempre le había proporcionado. No si quería vivir su vida de la manera más plena posible. Tal vez no tuviera a Zak. Tal vez no tuviera a nadie. Pero se tenía a sí misma. Recordó las palabras de Leda: podía haber un futuro feliz sin Zak, ese amante griego al que había llegado a amar en contra de su voluntad.

A la mañana siguiente fue al despacho de Xenon, quien la saludó con una sonrisa.

–He oído que lo has hecho muy bien en Nueva York. El salón de bodas del Pembroke ha sido un éxito rotundo... y ya lo han reservado hasta el mes de mayo, ¿qué te parece?

–Es increíble –dijo Emma–. ¿Cómo... cómo te has enterado?

–¿Aparte de leerlo en la prensa y de que la revista *Vogue* quiere hacer un reportaje allí? –volvió a sonreírle–. Me lo ha contado Zak. No es propio de él interesarte por estas cosas, pero la verdad es que parecía encantado. De hecho, estamos pensando en que hagas algo similar aquí.

–¿Aquí?

–Claro. ¿Por qué no? –se frotó los dedos haciendo el signo internacional del dinero–. En Londres se celebran muchas bodas... ¿por qué no sacar provecho de un mercado tan fértil?

Xenon tenía razón, pero ella no podía seguir trabajando en el Granchester, donde cada pared, cada mueble, cada hoja de papel le recordaría a Zak. Y mucho menos dedicarse a otro salón de bodas, cuando la simple idea de una boda se le clavaba en el corazón.

–No puedo hacerlo, Xenon.

–¿Cómo que no puedes? Zak afirma que has hecho un trabajo formidable en Nueva York.

–Tal vez, pero no puedo volver a hacerlo. De hecho, no puedo seguir trabajando aquí. Quiero... –respiró hondo para asimilar sus próximas palabras–. Quiero presentar mi dimisión.

–¿Te has vuelto loca, Emma? Un mundo de posibilidades se está abriendo ante ti. Es lo que tu carrera necesita.

Y también sería lo que acabara con ella si lo permitía. Aquel lugar estaba plagado de recuerdos agridulces. Tenía que romper con el pasado y empezar una nueva vida.

–No puedo, Xenon. Tengo que irme. Hay mucha gente capacitada para sustituirme, así que por eso no has de preocuparte. Y... ¿podrías... podrías decírselo tú a Zak?

Xenon entornó la mirada.

–Creo que será mejor que se lo digas tú misma.

Emma sintió el peso de lo inevitable en los hombros y su primer impulso fue el de echar a correr. Pero después de todo lo que había pasado entre ellos seguro que tenía las agallas para hablar con Zak ella misma.

–De acuerdo. Lo llamaré a Nueva York esta noche.

–Eso no será necesario –dijo Xenon, y se inclinó sobre el interfono para avisar a su secretaria–. Dile a Zak que tengo a Emma en mi despacho.

Emma se levantó de un salto. El corazón le latía tan fuerte que parecía salírsele del pecho.

–¿Está aquí?

–Aquí estoy –respondió Zak, entrando en el despacho.

Emma deseó haber estado sentada, porque sus piernas se volvieron gelatina al verlo. ¿Había olvidado el impacto que le provocaba su presencia? ¿El carisma que irradiaban sus rasgos marcados, su pelo negro y su piel aceitunada? ¿Su arrebatadora imagen de dios griego incluso con unos pantalones oscuros y una camisa blanca?

–¿Qué haces aquí? –le preguntó, sin prestar atención a la expresión horrorizada de Xenon ante el comportamiento que demostraba una empleada con el jefe.

–No respondías a mis llamadas.

–¿Y eso te sorprende?

–Claro que me sorprende.

–Si no respondí a tus llamadas es porque no quería hablar contigo. Y sigo sin querer, así que me marcho de aquí.

–No vas a ir a ninguna parte hasta que me hayas escuchado. Xenon, ¿te importa dejarnos solos? –le preguntó a su ayudante sin apartar la mirada de Emma. Estaba muy pálida y tenía sombras alrededor de los ojos.

–¡Xenon, por favor, quédate! –le suplicó Emma.

–¡Ni hablar! Yo me voy de aquí –dijo Xenon, y Emma asistió con una mezcla de incredulidad y desesperación a la apresurada huida de su corpulento jefe.

El portazo resonó en la habitación y Emma se quedó ante su examante, con el corazón latiéndole tan rápido que a punto estuvo de apoyarse en la mesa. Pero no lo hizo por miedo a que Zak lo interpretarse como una muestra de debilidad. Y ella no era débil. Era fuerte.

–Acabo de presentar mi dimisión –dijo, intentando no reaccionar a la imponente presencia de Zak y su olor a sándalo. No iba a sucumbir otra vez a su encanto–. No intentes hacerme cambiar de idea, porque es inútil –añadió en tono desafiante.

Él asintió, percibiendo la determinación que irradiaba Emma a pesar de la palidez de sus mejillas.

–Ya me doy cuenta.

Su aceptación la pilló por sorpresa.

–¿En serio?

–Me he dado cuenta de muchas cosas, Emma –el aire le escocía en la garganta seca al tragar–. Y la más importante es que te he echado de menos.

«No le permitas que te seduzca con palabras bonitas que ni él mismo se cree».

–No has tenido tiempo para echarme de menos. Solo hace tres días que me marché de Nueva York.

–¿Y si te dijera que han sido los tres días más largos de mi vida?

–Te diría que te buscaras a un nuevo guionista, porque esa frase es tan vieja como el mundo.

Zak sintió ganas de reírse, pero no lo hizo al ver la furiosa expresión de Emma.

–¿Y si te dijera que he sido un idiota?

–Estaría de acuerdo contigo.

–Un idiota integral que rechazó lo mejor que le había pasado nunca.

–Vivir para ver –repuso ella–. Quizá hayas aprendido algo para la próxima.

Zak entornó los ojos al chocarse contra la sólida resistencia de Emma.

–No va a haber ninguna otra. ¿No comprendes lo que te estoy diciendo, Emma? Eres tú con quiero estar. Tú y nadie más.

–¿Y se supone que debo dar brincos de alegría por tu repentino cambio de parecer? ¿Qué pasa, Zak? ¿No pudiste encontrar a nadie en la fiesta que se desnudara para ti?

–¡Eso no es justo!

–¿No? Yo creo que sí.

Zak apretó los puños con frustración. Quería estrecharla en sus brazos y besarla hasta derretir aquella horrible expresión congelada, pero por primera vez en su vida no se atrevía a hacerlo.

–Te he echado de menos –le dijo amablemente–. Y te sigo echando de menos.

–¡No! –exclamó ella con voz alta y clara, y endureció su corazón ante la mueca de asombro de Zak–. No son más que palabras. Solo crees que me deseas porque fui la primera mujer que osó alejarse de ti. Lo único que te motiva es conseguir lo que está fuera de tu alcance, Zak. Por eso pudiste empezar de nuevo cuando tu familia lo perdió todo, y por eso tu cadena hotelera es un éxito. Pero se te olvida algo... ¡que yo no soy un hotel!

En otras circunstancias tal vez hubiera hecho un chiste con la ridícula afirmación de Emma, pero al ver su expresión feroz se lo pensó mejor. Emma hablaba completamente en serio. Zak nunca se había visto en una situación semejante, y por primera vez supo que corría el riesgo de perderla.

Si no la había perdido ya...

Sintió que una esquirla de hielo se le clavaba en el corazón. Aquello era lo que siempre había temido. La sensación de perder el control y de que su felicidad dependiese de otra persona. ¿Sería lo mismo que sintió su madre cuando le suplicó a su padre que no la abandonara? Zak no había soportado ver su sufrimiento y vulnerabilidad, y se preguntaba si él se estaría exponiendo a lo mismo si se acercaba demasiado a Emma.

Podría huir del riesgo y alejarse de ella. Al cabo de un tiempo acabaría olvidándola y no le faltarían mujeres hermosas que lo ayudaran a sanar su ego y su cuerpo.

Por desgracia, no estaba seguro de que pudiera olvidarla. No había dejado de pensar en ella desde que entró en su despacho con sus vaqueros desteñidos y su pelo alborotado. Ni cuando pensó que era la novia de su hermano.

La había tratado muy mal. Le había dicho cosas horribles que no podían olvidarse tan fácilmente. Pero tenía que arriesgarse y abrir su corazón.

No se le daban bien las disculpas, pues rara vez tenía que disculparse por algo. Pero en esos momentos comprendió el valor de la humildad como parte fundamental del espíritu humano... le diera o no Emma otra oportunidad.

–¿Y si te dijera que lo siento? –le preguntó en tono tranquilo y sereno–. ¿Que lo siento profundamente? ¿Serviría de algo, Emma?

Ella lo miró con el corazón desbocado.

–¿Servir para qué? ¿Para que siga diseñando los interiores de tus hoteles?

–¡Al diablo con mis hoteles! –espetó él–. Estoy hablando de ti y de mí. ¡De que seas mi chica!

La torpe declaración vibró en el aire, y Emma pensó en lo que le habría respondido unos días antes. ¿Se habría arrojado en sus brazos sin dudarlo? Seguramente. Al parecer, cada cosa tenía su momento.

Quería a Zak, y algo le decía que él también la quería a ella. No era tan ingenua para pensar que la había seguido hasta Inglaterra solo porque tenía el orgullo herido. Pero los dos tenían que estar seguros de sus sentimientos. No bastaba con unas pocas palabras pronunciadas en un arrebato visceral. Los dos tenían mucho que perder.

Zak había sufrido en la vida, y ella no quería provocarle más sufrimiento. Pero también debía pensar en ella. No quería arriesgarse a un dolor innecesario si podía evitarlo.

–Lo siento, Zak –lo miró fijamente a los ojos–. Tendrás que esforzarte más.

Capítulo 13

¿CUÁNTO habré de esforzarme? –le preguntó Zak.

Emma apretó los labios en una fina línea mientras el autobús colorado de dos pisos avanzaba por la concurrida calle londinense. Aún no podía creerse que estuvieran sentados codo con codo, en el piso superior, y que ella tuviese la voluntad para no tocarlo. Había accedido a que la Zak la acompañara a casa después de la discusión en el despacho de Xenon.

–Aún no lo he decidido.

–Hablas como una dominante...

–Ni lo sueñes.

Zak dejó pasar el comentario. No quería fastidiar la segunda oportunidad que Emma le estaba concediendo, y por una vez, estaba permitiendo que otra persona controlase la situación.

–¿Sabes? Nunca me había subido a un autobús en Londres.

–¿Siempre te desplazas en coches con chófer?

–Siempre.

–Te vendrá bien probar algo nuevo...

Él sonrió mientras pasaban junto a las verjas plateadas de Hyde Park. Aún no la había besado. Ni siquiera la había tocado. Pero ella aún no lo había perdonado... y había una posibilidad de que no lo hiciera.

–¿Por qué me llevas a tu casa? –le preguntó.

–Porque recordé que ni siquiera sabes dónde vivo. Nunca has visto mi casa. Hemos estado viviendo en una especie de burbuja, Zak, sin apenas contacto con el mundo exterior.

De pronto, Zak se dio cuenta de que envidiaba a Emma. Él no tenía nada que pudiera considerar su casa. Tenía las suites más lujosas del mundo que él apenas había personalizado con algún cuadro o mueble, y también tenía una isla en el mar de Mirto con una bonita casa en la playa. Pero ¿cuándo fue la última vez que se alojó allí? Emma al menos tenía un hogar.

–Supongo que tendrás muchas cosas de tu ex...

–¿Como qué?

Zak se encogió de hombros e intentó vencer los celos. Nunca había sentido celos por nadie, al menos hasta que creyó que su hermano tenía una relación con la mujer más fascinante del mundo y que él tendría que pasarse la vida reprimiendo su atracción.

–Discos de platino, premios, distinciones... ese tipo de cosas.

–No es un santuario, Zak. Casi todas las cosas de Louis tuvieron que ser vendidas para pagar el tratamiento de su madre y las deudas que había contraído por el juego y las drogas.

Zak se olvidó al instante de los celos y en su lugar sintió una fuerte necesidad de protegerla. Quería abrazarla y decirle que él cuidaría de ella y que la mantendría a salvo de todas las penalidades. Pero tal cosa sería un insulto para ella, pues había demostrado ser perfectamente capaz de valerse por sí misma.

El autobús redujo la velocidad y Emma se levantó.

–Hemos llegado –lo rozó inadvertidamente y Zak captó su delicioso olor a rosas y vainilla, una fragancia que lo transportó a la incomparable dicha que había conocido en sus brazos.

Apretó los dientes tras una media sonrisa y la siguió por la estrecha escalera del autobús.

–¿Dónde estamos? –le preguntó al pisar la acera empapada por la lluvia.

Emma se echó a reír.

–En Hammersmith, aunque para ti podríamos estar en Marte... Supongo que nunca has estado aquí.

–¿Insinúas que mis horizontes son limitados?

–Creo que los dos tenemos horizontes limitados –respondió ella mientras subía los escalones de una horrible casa de ladrillo rojo. La gente solía sorprenderse al ver dónde vivía. Daban por hecho que la ex de una estrella del rock debía vivir en alguna mansión palaciega con grifos de oro y sofás de piel de leopardo.

Pero ella estaba muy orgullosa del hogar que había creado. Las habitaciones eran muy espaciosas y de techos altos, y ella las había pintado de un color claro y discreto para proporcionar el fondo perfecto a los muebles, cuidadosamente elegidos.

Zak miró alrededor, invadido por una curiosa sensación de paz.

–Es muy bonita –murmuró.

Ella sonrió, un poco más relajada. La opinión de Zak significaba mucho para ella, quisiera admitirlo o no.

–¿En serio?

–Sí. Nunca he dudado de tu buen gusto, Emma. Es una de las razones por las que eres tan buena en tu trabajo.

–¿Y cuáles son las otras razones?

–La audacia que demuestras al plantarle cara al bruto de tu jefe...

–Tú no eres un bruto –protestó ella.

–Claro que lo soy. O mejor dicho, lo era. ¿Lo ves? Me has curado la brutalidad, Emma Geary.

Emma sintió un fuerte deseo al ver el destello de sus ojos grises. Sería muy fácil cruzar la habitación y lanzarse a sus brazos, rodearle el cuello y entrelazar los dedos en sus espesos cabellos negros como tantas veces había hecho. Pero algo la refrenaba. El deseo podía cegarlos a todo lo demás, y si querían avanzar juntos tendrían que prestar atención a todos los detalles, incluso a los más cotidianos.

–¿Café? –le ofreció.

Lo último que Zak quería era café. Solo quería besarla, perderse en sus dulces brazos y borrar la tensión que veía en su rostro. Y luego hacerle el amor en aquel mullido sofá de terciopelo.

Pero no podía hacerlo. Si quería recuperar a Emma tendría que dejar que fuese ella la que siguiera controlando la situación.

–Perfecto.

Emma fue a la cocina y Zak oyó como abría y cerraba armarios y hacía sonar las tazas. Pensó en mirar los libros alineados en las estanterías, pero le resultaba imposible concentrarse en algo. Ni siquiera podía enfocar la vista en la calle que se veía por la ventana.

Unos minutos después Emma volvió con una bandeja. Sirvió el café bien cargado en las tazas, pero ninguno lo probó. Ella lo miraba fijamente, y Zak volvió a quedarse embobado por la belleza de sus ojos verdes.

–¿Sabes que Nat está enamorado? –le preguntó, observando atentamente su reacción.

–Me dijo algo en un mensaje... ¿Vas a dar tu consentimiento, o volverás a entrometerte para separarlos?

–Vaya... –Zak hizo una mueca y se dio cuenta de que Emma aún no lo había perdonado–. Supongo que lo tengo merecido.

–Sí, lo tienes muy merecido.

–La verdad es que no conozco a su novia y sé muy poco de ella, salvo que es griega y que Nat está con ella ahora mismo.

–Entonces... ¿apruebas su elección?

–No es asunto mío con quién se case –le sostuvo la mirada y rezó por que pudiera apreciar la verdad de sus palabras–. No voy a seguir controlando a las personas. Fui un idiota al creer que podía hacerlo.

El salón quedó sumido en un largo y tenso silencio mientras Emma miraba a Zak a los ojos.

–No fuiste un idiota, Zak... Nunca lo has sido. Solo querías proteger a tu hermano, igual que llevabas haciendo toda tu vida. Pero Nat es adulto y tienes que dejar que viva su vida.

Una dolorosísima punzada traspasó el corazón de Zak al pensar en otra inquietante posibilidad.

–¿Y qué pasa contigo, Emma? ¿También a ti habré de dejarte marchar? ¿Mi obsesión por el control y mi insistencia han conseguido apártate definitivamente de mi lado? ¿Es demasiado tarde para intentar recuperarte?

Ella negó con la cabeza. El nudo de la garganta le impedía hablar. Y tal vez él se dio cuenta, porque se levantó y cruzó el salón hacia ella. Pero en vez de abrazarla con una pasión salvaje tomó su rostro entre las manos con más dulzura de la que nunca le había demostrado.

–¿Es tarde? –repitió. Emma tenía que estar segura, y él tenía que demostrarle que era capaz de actuar con humildad... y de amar–. ¿Es tarde para recuperarte?

–No, Zak –susurró ella–. Has llegado a tiempo... y me quedaré contigo para siempre, si tú quieres.

–¿Y qué otra cosa podría querer? Eres lo único que quiero en la vida, Emma. Te amo demasiado.

–Zak...

Él tragó saliva con dificultad.

–¿Esa es la única respuesta que recibo a la declaración de mi vida?

Ella asintió, intentando contener las lágrimas. La emoción seguía impidiéndole hablar. Y además no había necesidad de hacerlo, porque seguro que él ya sabía que lo amaba con todo su corazón.

Aunque quizá debería decírselo de todos modos...

–Zak...

–Shhh –le sonrió y la hizo callar con un beso.

Con Emma había vivido los momentos más cruciales de su vida, pero ninguno fue tan intenso y profundo como el primer beso que compartían después de haberle declarado su amor.

Epílogo

S E CASARON en el salón de bodas del Pembroke. Era la opción más sensata, aunque al
principio Emma se sintió un poco sobrecogida
por la idea.

–¿Por qué te impresiona tanto? –le preguntó Zak
mientras le acariciaba sus largos cabellos.

–Porque es como si yo hubiera diseñado la sala
para mí –confesó ella. Miró la estatua de la diosa
Afrodita y sonrió. Tal vez así había sido.

Era la novia número cuatrocientos que se casaba
allí. Había querido disfrutar de su prometido durante
un tiempo y el Pembroke era el lugar elegido por muchas parejas para contraer nupcias. La lista de espera
era de un año y la competencia miraba a Zak con una
envidia mal disimulada. La prensa comparaba al magnate griego con una especie de rey Midas, pero Zak
no se cansaba de repetir que era su novia la única que
convertía en oro todo lo que tocaba. Su «*chrisi mou*».

La boda fue una celebración típicamente griega,
llena de gente y jolgorio, y pareció simbolizar el calor
familiar que ninguno de los dos había tenido. Nat asistió con Chara, su novia. No se parecía en nada al Nat
que Emma había dejado en Londres. Al descubrir que
ella y Zak estaban enamorados, le había plantado cara

a su hermano mayor y lo amenazó con destrozarlo si alguna vez la hacía llorar o le dañaba un solo pelo de su rubia cabeza.

Y Zak aceptó la advertencia de buen grado. Fue una imagen realmente entrañable ver a los dos hermanos marcando su territorio, como dos animales salvajes.

Leda también acudió a la boda, acompañada de Scott. No dejó de sonreír en ningún momento, aunque mientras besaba a Emma le confesó varias veces que le costaba creérselo.

Pasaron la luna de miel en la idílica isla de Zak en el mar de Mirtos, al sur del Peloponeso. La isla había pertenecido durante largo tiempo a la familia Constantinides, la perdieron y Zak volvió a recuperarla. Se la regaló a Emma la mañana siguiente a la boda, y ella no salía de su asombro.

–Pero ¿por qué? ¿Por qué me regales esta isla?

–Porque quiero que poseas una parte de mi país –respondió él–. Así tendrás una parte de mí.

¿Qué mujer no se estremecería de deleite y emoción ante un regalo semejante?, pensó Emma mientras le echaba los brazos al cuello.

Meses después, en la boda de Nat y Chara, Emma descubrió que estaba embarazada. Pero para no robarles protagonismo a los novios esperó a estar de vuelta en Inglaterra para decírselo a Zak. De hecho, esperó a tener los resultados de dos exámenes médicos que confirmaron su óptimo estado de salud. Y aun así tuvo que pellizcarse para convencerse de que no estaba soñando.

El Garden Room del hotel Granchester acababa de

recibir otra estrella Michelin. Zak y Emma se dirigían allí para el banquete de celebración que ofrecía Xenon. En la entrada del aparcamiento, Emma le puso la mano en el brazo a su marido.

–¿Zak?

Él se giró para mirarla con unos ojos llenos de amor y ternura.

–¿Sí?

–Tengo algo que decirte.

–Parece que sea importante.

–Es muy importante –hizo una breve pausa–. O mejor dicho... lo será dentro de unos meses.

Zak abrió los ojos como platos.

–¿Emma?

–¿Zak?

–¿Vas a tener un hijo?

–Sí –sonrió–. Tu hijo.

Zak soltó un gemido de alegría y la estrechó fuertemente entre sus brazos.

–Gracias... –le susurró con voz temblorosa, antes de besarla.

Emma se aferró a él como si fuera la primera vez que se besaban, aunque así era siempre con Zak. Cada beso era el primero. Se abandonó a la pasión del momento y olvidó que se encontraban en medio de la entrada, obstaculizándose el paso a otros vehículos. Se olvidó de todo, salvo de la incomparable sensación que la embargaba entre sus brazos, hasta que fue imposible seguir ignorando los cláxones y gritos de otros conductores. Se apartaron de mala gana y un muchacho se asomó por la ventanilla del camión que pasaba junto a ellos.

–¿Por qué no se buscan una habitación? –les gritó.

Zak sonrió, miró la espléndida fachada del hotel Granchester y volvió a mirar a su mujer.

–No creo que eso vaya a suponer ningún problema...

Bianca

Estaba decidido a recuperar a la única mujer que realmente le había satisfecho.

Emilio Andreoni, importante hombre de negocios y el soltero más codiciado de Italia, quería la perfección en todo. Para culminar su éxito, solo necesitaba una cosa más… ¡La mujer perfecta! En el pasado, había creído encontrarla, Gisele Carter; pero un escándalo había hecho que rompiera su aparentemente perfecto compromiso matrimonial.

Sin embargo, dos años después de la ruptura, Emilio tuvo que enfrentarse a unas pruebas irrefutables y reconocer la inocencia de Gisele.

Diamantes en Roma

Melanie Milburne

Acepte 2 de nuestras mejores novelas de amor GRATIS

¡Y reciba un regalo sorpresa!

Oferta especial de tiempo limitado

Rellene el cupón y envíelo a
Harlequin Reader Service®
3010 Walden Ave.
P.O. Box 1867
Buffalo, N.Y. 14240-1867

¡Sí! Por favor, envíenme 2 novelas de amor de Harlequin (1 Bianca® y 1 Deseo®) gratis, más el regalo sorpresa. Luego remítanme 4 novelas nuevas todos los meses, las cuales recibiré mucho antes de que aparezcan en librerías, y factúrenme al bajo precio de $3,24 cada una, más $0,25 por envío e impuesto de ventas, si corresponde*. Este es el precio total, y es un ahorro de casi el 20% sobre el precio de portada. !Una oferta excelente! Entiendo que el hecho de aceptar estos libros y el regalo no me obliga en forma alguna a la compra de libros adicionales. Y también que puedo devolver cualquier envío y cancelar en cualquier momento. Aún si decido no comprar ningún otro libro de Harlequin, los 2 libros gratis y el regalo sorpresa son míos para siempre.

416 LBN DU7N

Nombre y apellido	(Por favor, letra de molde)

Dirección	Apartamento No.

Ciudad	Estado	Zona postal

Esta oferta se limita a un pedido por hogar y no está disponible para los subscriptores actuales de Deseo® y Bianca®.
*Los términos y precios quedan sujetos a cambios sin aviso previo.
Impuestos de ventas aplican en N.Y.

SPN-03   ©2003 Harlequin Enterprises Limited

Más que un romance

KATHERINE GARBERA

Habían pasado dos años desde la tórrida aventura de Cam Stern con Becca Tuntenstall, pero al encontrársela de nuevo comprobó que el deseo seguía ardiendo entre ellos. Decidido a reconquistarla, Cam se propuso llevar la relación más allá del sexo. Pero muy pronto descubrió que Becca le había estado ocultando un secreto todo ese tiempo. De aquella relación pasajera había nacido un hijo y Cam quería formar parte de su vida. Sin embargo, ¿estaba preparado para forjar una relación con la mujer que lo había engañado?

El deseo no se había extinguido

¡YA EN TU PUNTO DE VENTA!

Bianca.

Sabía que la pasión de Zander moriría cuando descubriera su secreto

Zander Devereux deseó a Caris desde que entró en el despacho del bufete de abogados donde ella trabajaba. Arrogante, poderoso y nada acostumbrado a las negativas, el carácter rebelde de Caris le pareció todo un reto. Y a él le encantaban los retos. Porque sabía que, al final, la recompensa sería más dulce. Pero, en mitad de su tempestuosa relación, ella se marchó.

Tormenta en el alma

Lee Wilkinson